CRISTINA WARGON

EL DESCABELLADO OFICIO DE SER MUJER

EDICIONES DE LA URRACA

*A mis hijos y a Coco Feldman,
quienes con sus desvaríos, escándalos
y coacciones me brindaron
abnegadamente todos los argumentos
para este libro.*

Fotos tapa y contratapa **Balder**
Composición tipográfica, Buena Letra S.A.

P R O L O G O

Como si ser mujer no fuera en sí mismo el más descabellado de los propósitos, Cristina Wargon se ha propuesto ¡y lo logra!, escribir un libro acerca del tema. Esto habla a las claras de una personalidad tan descabellada que no merece menos que el más descabellado de los elogios. El lector no puede parar de preguntarse de qué se ríe alguien cuyo destino irremediable es la calvicie. Si además –como es el caso– la empresa se cumple con humor a prueba de hijos, maridos, porteros, presiones sociales y demás pesadillas que habitan la cotidianeidad de cualquier mujer digna de ese nombre (y no somos muchas) nos encontramos, sin duda, frente a una de esas raras avis de la cultura contemporánea: ¡una humorista!

Algunos hombres dicen que las mujeres no tenemos humor.

Algunas mujeres sostienen que lo que no tenemos es de qué reírnos. Este libro da por tierra con ambas teorías. Y si es cierto que el humor es un ejercicio de la inteligencia, su autora ya puede dejar de sufrir por los aerobics que nunca hizo. Está en muy buena forma.

Gabriela Acher

LOS HIJOS

"Parirás a tus hijos con dolor."
Está bien, ¿y después qué hago?

1. NENE, VENÍ QUE TE HAGO UN TRAUMA

"Hecha la madre, hecho el conflicto", y como a todos nos parió alguna, y algunas a nuestra vez hemos parido a otros, este lío de las madres tiende a perpetuarse. Mientras los tangos y los boleros juran y perjuran que somos de lo mejor, el psicoanálisis nos derrumba las estatuas en cuanto diván puebla este planeta. El dilema no acepta soluciones: tener madre es un clavo, no tenerla es imposible, y ser una madre, a esta altura de la informática, da pánico.

Los bebitos

Según es de público conocimiento, el ser humano nace *disminuido mental*. No sabe leer ni escribir, desconoce la Coca Cola, no habla, no atiende la puerta y además se hace pis y caca.

En este deplorable estadio de su existencia se denomina *"bebé"*. Y es un bicho por el cual a las mujeres en general y a las madres en particular, se nos cae la baba. Lejos de ahogarlo en un balde o encerrarlo en un baúl hasta que se convierta en una persona útil a la sociedad, pasamos largos años de nuestra existencia y de la suya limpiándole la cola, celebrando sus "ajó", procurando que no se machuque tirándose de la cuna o se intoxique con hormiguicida (los bebitos son así de necios).

Si pensamos que tanto afán se despliega en un ser que sólo nos devuelve "provechitos" y anginas rojas, uno podría suponer que quien carga con semejante tarea merece, no más, los tangos, los boleros y una estatua a la "madre anónima" cada diez metros. Sin embargo, la ciencia nos ha demostrado que mientras calentamos mamaderas a destajo y nos desvelamos años enteros, no hacemos más que generar

9

traumas, pues esos bichitos que no saben ni su nombre van a recordar para siempre cada uno de nuestros errores.

Veamos si no un caso típico: estos tiernos borradores de un ser humano tienen por costumbre gritar. Profieren unos certeros berridos perforantes a cualquier hora del día o de la noche. Pues bien, ¿qué debe hacer una "buena" madre cuando el crío chilla? Las opciones parecen ser dos: o alzarlo o dejarlo desgañitarse. Pero ninguna de las dos es siempre la correcta. Si lo cargamos en brazos, dicen las comadres y algunos pedagogos, la criatura *se acostumbra mal.* Y a un bebé de tres meses muy malcriado puede ser una delicia tenerlo en brazos, pero llevar al hombro un niño de once años es malo para el lumbago.

Por lo demás, y aquí viene lo del trauma, si una madre tiene por costumbre llevar alzado a su nene de once años es una "sobreprotecto-ra", dilema que con el correr de los años lleva a la criatura derechito a un analista. Como ven, alzarlos los traumatiza; y para colmo, después el analista ni siquiera nos deja entrar para escuchar cómo andan. ¿Habrá entonces que dejarlos aullar hasta que queden cianóticos? Pues no, que el gusanito nos recordará como una madre abandónica e igual terminará en el analista sacándonos el cuero.

La lógica diría entonces que hay que alzarlos cuando "realmente" lo necesiten. Pero, ¿cómo sabe una cuándo "realmente" nos necesita un ser que usa el mismo berrido para comunicar que tiene hambre, tristeza existencial, sarampión o aburrimiento?

La respuesta, seguro que la tienen los pedagogos que, por supuesto, son "padres".

Los niñitos

Con sólo esperar algunos años, los bebitos pasan de la categoría de babosas implumes a la de bípedos parlantes. Es decir, de bebitos a niñitos. Las madres, con esa connatural insensatez que nos colma, seguimos haciéndonos pis por ellos; pero viendo la cuestión con cierta objetividad es difícil explicar por qué.

Es cierto que los niñitos no se hacen pis encima, pero, paralela-mente, su mayor autonomía de vuelo los hace más efectivos en sus actividades. Y las actividades de una criatura oscilan siempre entre lo autodestructivo y lo meramente destructivo. De más está decir que las madres prestan más atención a lo primero que a lo segundo. Verbigra-cia, se preocupan un horror para que los niños no metan los dedos en los enchufes o se tiren por el balcón jugando a Batman, mientras muestran un singular desgano si los querubes intentan electrocutar a un vecino o empujan por las escaleras a la ancianita del quinto. De este modo, los bebés, al ascender a la categoría de niños, se transforman en un grave peligro social, en unos inadaptados talle dos, que gozan de ventajas por el solo hecho de ser enanos. Nadie me podrá explicar jamás por qué un señor que roba un banco va a la cárcel, mientras un niño que afana una figurita sale indemne, cuando, como es claro para cualquier lógica que no sea la materna, una criaturita *no asalta un banco simplemente porque no puede*. De cualquier forma, como toda sociedad tiene sus formas de defensa, igual van al reformatorio, perdón, quise escribir la escuela.

Volviendo al tema de las madres, quienes ya han cometido sus destrozos durante la lactancia siguen luego esparciendo estropicios en el nuevo período. Los niñitos tienen por costumbre aprender a hablar y, de natural imprudentes, pretenden que la madre les explique en semanas lo que ellos nos preguntaron durante años y su progenitora no aprendió en toda su vida.

Se abre entonces un período donde cualquier palabra materna es condena y todo silencio es cruz. Hay preguntas a las que una no sabe qué contestar ("mami, ¿por qué vivimos?"), hay otras que no sabemos *cómo* contestar ("mami, ¿por qué ayer a la noche escuché que papá tenía como tos?"), y hay otras que una *no desearía* contestar ("mami, ¿por qué no puedo decirle a la tía que tiene bigotes si vos decís que tiene bigotes?").

Nuestros mayores, que a mi juicio eran muy sabios, tenían por costumbre no contestar nada, y los niños de antaño, la prudencia condigna de no preguntarles. Esta costumbre, altamente saludable en su exterior, pareciera que no fue igualmente óptima en su interior. Según la opinión de las nuevas generaciones, de esos abuelos salieron padres castrados y castradores, bastante adeptos a toda forma totalitaria.

A mí me parece que no es para tanto, pero la tesis es difícil de desmentir con un libro de historia argentina al frente.

De cualquier forma, los niñitos de ahora preguntan sobre sexo, política, informática, cohetería espacial, anche "cunnilingus". Todos temas en que las madres tocan de oído o directamente no saben un cuis. Tartamudear es quedar como idiotas y debilitar por ende la imagen materna; contestar macanas es una alternativa a corto plazo; no contestar entra en la categoría de pecado mortal, que no sé qué daño psicológico puede hacerles, pero seguro que terminan fascistas.

Los adolescentes

El único consuelo nítido de la maternidad frente a la adolescencia es pensar que apretarse un dedo con la puerta es mucho peor. Un *adolescente* es algo así como un niño que se ha vuelto loco, y como ya hemos visto, un niño en sí mismo es poco recomendable. Junto con el acné llega un feroz ajuste de cuentas que tiene cierta similitud con la deuda externa: todos sabemos que la debemos y nadie entiende cómo la contrajimos.

Siguiendo con este ejemplo, no del todo feliz, intentar una negociación decorosa –vale decir aceptar uno que otro error, pero defendiendo la soberanía nacional– es suicidarnos.

Las huestes del rock pesado no necesitan de ningún reconocimiento de nuestros errores para endilgarnos la muerte de John Lennon, la Guerra de las Malvinas, sus propios fracasos sentimentales y los desastres ecológicos.

Se ponen tan rebeldes, que James Dean les pediría un autógrafo. Así, retumban al igual los portazos y el equipo de audio, se fregan en los horarios, transgreden los permisos, se apoderan del baño, contestan a sus profes, y uno puede leerles en su mirada una profunda nostalgia por Nerón (el Nerón de las buenas épocas, cuando mató a su madre y la dejó con la tripa al viento).

Pero veamos las opciones: en esta etapa, francamente desdichada en los destinos maternos, ya hemos dicho que *aceptar culpas es nefasto;* ni qué decir hay, que con tanta pedagogía desplegada es imposible echárselas a ellos. Un silencio caricúlico "interrumpe-el-diálogo-imprescindible-en-la-adolescencia". (Así dicen, aunque siempre me resultó difícil dialogar con un equipo de música, o una puerta rotundamente cerrada en las narices).

Según los expertos, un adolescente necesita "autoridad, comprensión y ternura". Consejo absolutamente conmovedor, tan fácil de llevar a cabo como atarle los ruleros a King Kong con un ataque de hidrofobia.

De tal suerte, mientras una observa con estupor a estos seres que se han vuelto extraños y circulan por la casa con un espejo apretándose un barrito, o que arrastran su corazón de pieza en pieza sollozando una pena, una se pregunta si se puede hacer mucho más que poner luego el espejo en su sitio y recoger los pañuelos empapados de amor.

...Tal vez, tal vez se pueda... pero nadie ha dicho cómo.

¡Cosa embromada ser madre! Mucho mejor es ser tía...

2. LOS RECUERDOS DE LOS CHICOS QUE GUARDAN LAS MADRES

Cuando alguien termine por develar qué somos las mujeres, descubrirá que parte de nosotras responde a una "ciruja romanticona". Somos una suerte de basureras calificadas, obsesivas acumuladoras de boletos del año de ñaupa y de manojos de pelos. Todo, en nombre de esa vaga melancolía que una acrecienta para el futuro, y que suele llamarse "recuerdo".

Como la cuestión es innata, comenzamos la carrera de "junta-recuerdos" desde la edad más precoz. En alguna caja de zapatos que sobrevive a mudanzas y olvidos, se amontonan la *primera cartita de amor,* donde el gordito de la segunda fila nos escribió "me gustás", y *una florcita seca.* Poco importa que ya no recordemos el nombre del gordito, ni mucho menos qué significaba la flor.

Así, año tras año, se acumulan los recuerdos de "esa tarde, seguro inolvidable y ya olvidada"; hasta que un día nos casamos y en nombre de una equívoca fidelidad quemamos todo y comenzamos otra etapa.

Esta etapa generalmente se llama: "niños".

Vení, que te recuerdo

Las mamás de hoy guardan ecografías de sus bebés cual si fueran fotografías (si allí hay un bebé, es lo más parecido que conozco a un borrón de tinta china). Las madres antiguas nos teníamos que remitir a cosas concretas: primero, *el moisés* (cosido por nuestras propias manos o las de alguna tía hacendosa) del que jurábamos que jamás nos desprenderíamos. De más está decir que en cuanto la criaturita pasaba

13

del moisés a la cuna, ese artefacto comenzaba a hinchar por toda la casa, hasta que alguna cuñada nos lo pedía prestado y se perdía para siempre en una larga cadena de natalicios.

Sin embargo aún nos quedaban preciosos objetos para alimentar nuestros recuerdos. De puro chanchas, coleccionábamos por ejemplo:

- *El cordón umbilical, disecado entre gasitas.*
- *Los primeros escarpines.*
- *El diente de leche.*
- *Mechones de pelo del recién nacido.*
- *La estampita de bautismo* (en caso de ateísmo crónico, alguna carta que recibimos celebrando el acontecimiento).
- *El babero bordado.*
- *El primer zapatito.*
- *El primer chupete.*
- *El osito de felpa* y (tiemble de asco quien jamás fue madre)... ¡hasta *recortes de uñas*!

El cuaderno de tapas azules

De idéntico modo, cuando las criaturas entran en la escuela una se dedica *a guardar cuadernos*. Yo volví a revisarlos el día en que un hecho me despabiló. ¡Mi nene había crecido! Encontré la huella de su mano en los azulejos del baño: como todos los hombres, *¡se apoyaba en la pared para hacer pis!* (Misterio que no puedo develar. ¿Por qué se apoyan, qué es lo que se les cae? ¿Acaso se les desequilibra el cerebelo?)

El hecho es que *ahora sí* los cuadernos ya eran un recuerdo.

La cuestión tendría cierta lógica si al abrirlos una rememorara cuán divinos estudiantes eran. Sin embargo, cada vez que los miro me da la misma rabieta de antaño. El forro fue colocado con mis propias manos, junto con el rótulo escrito en cursiva... De allí en más, ¡el desastre!

Más que un cuaderno escolar, pareciera el diario íntimo de una maestra iracunda y fatalmente enemistada con la educación en general y con esa pobre criaturita en particular. Veamos:

Primera hoja: seis palotes medio chuecos y abajo un fulminante letrero en tinta roja: *"El niño no atendió en clase".*

Segunda hoja: una fila de *"aaaaa"* (no del todo redonditas) y otro cartel en tinta verde bilis: *"El niño no trajo los lápices de colores y molestó toda la clase".*

Tercera hoja: "Hoy es Miércoles" y vuelta el cartel que parece largar espumarajos: *"Señora Mamá, debe concurrir mañana sin falta a la escuela, por la conducta de su hijo".*

Cuarta hoja: "Hoy es Jueves" y a continuación la letra de la mamá (que venía a ser yo): *Señorita Maestra, me es imposible concurrir a esa hora porque trabajo".*

Luego, el cuaderno se parece a un diario de batalla, rebosante de partes de guerra. La maestra luchaba al mismo tiempo con el educando y conmigo, mientras el educando, al parecer, peleaba con todo el mundo. Ya hacia el final del año escolar, la cuestión se vuelve personal y hasta ofensiva:

El alumno no trajo:

Lápiz / Lapicera / Goma de borrar / Escuadra / Compás / El delantal en orden / La más mínima gana de estudiar / Ni un mísero deber.

El alumno vino con:

El delantal hecho trizas / Los zapatos mugrientos / El pelo sucio (¡Pero qué se habrá creído la muy guacha!).

A la inversa, el educando abundaba en útiles que la docente evaluaba como superfluos: una honda con sus proyectiles (acompañada de una puntería infernal), tres chicles bien masticados cuyo uso queda librado a la imaginación, una hojita de afeitar, una navaja (la desgraciada no ponía que era una navajita chiquitita así), tizas en abundancia, cerbatanas de papel y una bolsita con bolitas de paraíso.

Hacia noviembre, el cuaderno pierde todo vestigio docente y se transforma en una vendeta personal entre la Señorita Maestra y la Señora Madre. Sólo un milagro puede explicar cómo la bestia pasó de grado, y sólo mi propio reblandecimiento el porqué guardé hasta hoy ese infame documento.

La nena descubre nuestros "recuerdos"

Sobre todas las iniciales euforias maternas que describo, comienza a correr el tiempo. Pero además, y apocalípticamente, los niños siguen creciendo.

Es atribuible a ese paso de los años, el lamentable hecho de que el *cordón umbilical* de mi primogénita finalmente fuera comido por el Michi, un gato matrero y hambreado.

El *osito de felpa* cayó bajo las garras del Thor, perro juguetón y aspaventoso, que luchó con él como si fuera el león de la Metro y lo dejó hecho un plumerío de estopa regado por todo el jardín. ¡Amén!

El *mechón de pelo* y el *dientecito* corrieron la misma suerte; pero esta vez en manos de su propia dueña, quien revisando una vez mi placard los encontró en la cajita donde primorosamente yo los tenía guardados. Al grito de *"¡Qué asco!"*, los tiró a la basura.

Fue inútil tratar de convencerla de que esos mechones eran de su propia cabellera de recién nacida, y ese dientito, de su propia boquita de fresa. Se envolvió el mechón de pelo en el dedo gordo y farfulló: *"Con este pelo debo haber parecido Lindor Covas"*. ¿Por qué son tan crueles? –digo yo– ¿Por qué recordarme que, efectivamente, *era igualita a Lindor Covas?*

Las fotos

Juntamente con ese amontonamiento de fósiles, una se va emperrando *en las fotografías.* Presentimos que, con el correr del tiempo, ellas serán un testimonio inocultable de tanta dicha. Así es como los tíos, los amigos, los fotógrafos ambulantes, y hasta una misma con una máquina y oficio más que improvisados, retratamos a lo largo de los años "nuestras horas felices".

Sin embargo, cuando hoy saco la caja de fotos, todo parece ser peor de lo que registra mi recuerdo. Los cumpleaños que relucen coloridos en mi memoria, han quedado plasmados en imágenes de niños chorreados de chocolate, que miran a la cámara como ahorcados *y con tanta espontaneidad como un arenque disecado.*

Las fotos de cuando eran pequeñitos no son para nada las de esos espléndidos bebés Johnson. En realidad, y bien mirados, más se asemejan a un testimonio tercermundista: flacuchentos, morochitos, y siempre a punto de largar el llanto. Indefectiblemente *todas* están fuera de foco *y siempre* hay un personaje cortado por la mitad.

Y, en verdad, *"nada es como el recuerdo".* Y es inútil –comprueba una, al final– tirar esas pequeñas anclas en el tiempo, tratar de capturar lo que, en el instante mismo que sucede, ya se ha ido. Según pasan los años, nada es mejor que la memoria pura; y esos apuntes que con tanta inocencia y entusiasmo intentamos retener en los objetos que guardamos, se nos vuelven en contra como espejos deformantes.

Nuestros hijos, nuestra historia, nuestra vida entera, se crea y se recrea en el mágico espacio del sin tiempo, sin otra guía que el azar de lo que necesitamos. En realidad, todas las parafernalias que juntamos no son "aquellas pequeñas cosas que nos dejó un tiempo de rosas".

Si no estuvieran las fotos, si algún día me decidiera a tirar ese maldito cuaderno azul, podría ufanarme tan campante, jurando que mi hija "de chiquita era rubia", y que mi hijo "siempre fue el mejor del grado".

Después de todo, así es como los recuerdo y, por ende, eso es lo que vale.

3. ¿CON QUIÉN SE CASARÁ LA NENA?

Cuando la acunaba de recién nacida, al imaginar el destino de esa bochita peluda y dormilona, pensaba: "Se va a casar y va a ser tan feliz como mi mamá fue con mi papá y seguramente como voy a ser yo." Reconozco que mis sueños tenían algo de yuyo mezclado con rumiante, pero a los dieciocho años esta madre no era mucho más viva que una vaca. El destino habría de poner algunas cosas en su sitio; estaba escrito que yo no iba a ser "tan" feliz, pero también que esa obsesión —"con quién se casará la nena"— se convertiría en una neurastenia sin atenuantes.

Me parece recordar que, como toda niñita normal, mi hija comenzó a enamorarse desde los seis años. Del vecinito de enfrente, del hijo del quiosquero y de todos y cada uno de sus compañeritos de grado. Con la sana ingenuidad de los ignaros me limitaba a sonreír frente a estos amores (casi imposibles), confiada en la pureza que caracteriza a la infancia (ya lo dije: era una vaca). Sin embargo, llegó el momento en que la criatura comenzó a estirarse en algunos sitios clave e inevitablemente surgió un tema urticante: *la maldita virginidad.*

Interrogada sobre la cuestión, enarbolé el verso de las madres progresistas que por aquel entonces era uno de los más tramposos que se pueden imaginar. Resumámoslo así: *"En verdad, el acto sexual es un acto de amor y cuando llegue el GRAN AMOR, todo lo demás no tendrá importancia."* Clarito, ¿no? Clarito como las nieblas del Riachuelo. Porque ¿cómo hace una confusa adolescente para distinguir cuál es el GRAN AMOR que le permitirá todo? ¿Es más grande o más chico que el amor por su compañerito de banco? ¿Tiene un color, un sabor, un aroma distinto de aquél que inspira el hijo del quiosquero?

En ese instante, una madre "progresista" (puaj) se refugia en las tinieblas de lo irracional. No hay descripción precisa para ese amor pero *"una lo reconoce cuando llega"*. Algo así como si el mismo Dios en persona se descolgara de su nube para señalar con su dedo en llamas al elegido. En el fondo del corazón una bien sabe que Dios jamás se pone en esos trámites, y confía, por ende, que antes de que llegue Dios *aparezca el mozo con el anillito para el dedito y una tranquilizadora propuesta de matrimonio*. El "candi", bah...

Lamentablemente, antes de la aparición de tan preciado personaje arriban a la historia otros mozos que ¡minga de anillito, boda ni ocho cuartos! Lo que ese cretino quiere es propasarse con la criatura, como si no tuviera madre. Como si la madre fuera una idiota. Como que te voy a romper el alma, ¡desgraciado!

El primero que se exilió

La nena tenía trece años y aunque había leudado por todas partes de un modo azas imponente, "tenía trece años" y era una "nena". Vivíamos por aquel entonces en un departamento viejísimo; y exactamente en el de al lado *se amontonaban quichicientos estudiantes más crónicos que la bronquitis*. Debe enmarcarse la historia en un estado posdivorcio, que es apenas mejor que el predivorcio, siendo ambos una total calamidad. Así fue como cierta tarde, cuando me estaba bañando ¡la *"nena" me anunció que por fin el GRAN AMOR había llegado!*

Del sobresalto me tragué el jabón y entré a echar espuma por las orejas. Conté hasta diez millones y luego de escupir burbujas interrogué con voz estrangulada quién era el elegido. Ya lo pueden ir adivinando... ¡era no más uno de los estudiantes crónicos! *¡Veintitrés años el guacho, y la nena tenía trece!* Mordí frenéticamente la esponja y me hice unos buches de champú. Sin embargo, aun siendo tan burra como era por aquel entonces, ya sabía que una oposición frontal sólo precipitaría las cosas. ¿Qué harían Napoleón Bonaparte, Lucrecia Borgia, Poldy Bird, en situación tan comprometida?

Tomé mi decisión: con la cara chorreando agua e hipocresía felicité a la enamorada y en cuanto ésta desapareció hacia el colegio golpeé la puerta vecina con ferocidad. Pregunté por el mozo, que se apersonó con cara de pánico y lo conminé a bajar a un café para hablar "de ciertas cosas". Me abochorna reconocer que, a la distancia, el diálogo (en verdad monólogo, ya que el infrascripto se limitaba a palidecer) fue una mezcla de telenovela con Hitler. Las lecturas de Simone de Beauvoir brillaron por su ausencia.

Comencé por explicarle que yo era esencialmente una madre

tolerante, que no se me escapaba el episodio de Romeo y Ju..., podía por lo tanto comprender que una niña se enamorara locamente de un niño. (¿Qué niño? ¡Grandote hijo de su madre!) En síntesis: si se trataba de "AMOR", bajo ciertas condiciones de horario y protocolo me iba a mostrar juiciosa. Pero si no se trataba de "AMOR" sino de una estratagema para conducirla a esa guarida infecta... Allí vino un largo detalle de lo que podría ocurrirle, comenzando por el código penal y culminando, algo más directamente, con las cinco puñaladas que le propinaría con mis propias manos *"porque aunque no tenga padre, usted no sabe con quién se está metiendo".* Pareció que si el joven no lo sabía al menos lo sospechaba. Sólo atinó a decir *"sí, señora"* con voz templequeante y corrió a hacer sus valijas. Sospecho que se fue a Uganda, porque nunca más se lo vio. Amén.

El pelo pero no las mañas

Otro novio que ha quedado grabado en mi memoria fue Antoine. Dicho mozo con nombre tan particularmente distinguido comenzó a instalarse en la sobremesa de casa porque *"mami, me gusta, es divino, todavía no sé si le intereso, me parece que sí..."*

La niña ya tenía quince años y mi paranoia había aflojado un poco (un poquito, bah). Como los adolescentes tienen un particular desdén por los apellidos, *todo lo que sabía del sujeto era su nombre, y que los encuentros se realizaban al azar en los festivales de rock.* Pero yo no lo conocía. Gasté verdaderas fortunas en entradas, ya que esa manera casual era el único modo que ella tenía de verlo: el mozo se mostraba renuente. Poco antes de quedar yo en la ruina total, Antoine se dio por aludido y entre Litto Nebbia va y Baglietto viene se anudó el romance.

Para ese entonces ya me había vuelto a casar, y el "papastro" se mostraba tolerante, racional, comprensivo, y cualquier otro adjetivo que quieran agregarle a un hombre inteligente que opina sobre la vida amorosa de una joven (que no es *"su"* hija, por supuesto). Años después, Corina, *"su nena",* me chusmeó la clase de troglodita que había sido con ella. Con lo cual su prestigio quedó hecho pomada. Pero ésa es otra historia.

La cosa es que en medio de la expectativa familiar, el GRAN AMOR apareció por casa. Cuando abrí la puerta no lo podía creer. Mi hija lo ostentaba con el orgullo de Tarzán después de haber cazado cinco rinocerontes, pero juro que ni cinco rinocerontes juntos me hubiesen causado tal impresión. Les ruego que recuerden que esta historia se desarrollaba bajo la dictadura, cuando aquél que no se parecía a todos era sumamente sospechoso y *Antoine ¡por las vinchas de los Rolling Stones! se parecía a una pesadilla de LSD.*

¿Qué clase de individuo había que ser para arriesgar la vida con esa provocación a las fuerzas del orden? Sin duda un drogadicto... Marihuana, heroína, hachís, pomada para los zapatos, pizza a la piedra... Las visiones más horribles se me cruzaron por la cabeza. En síntesis, antes de que el pobre pudiera decir "buenos días" ya lo tenía sentado en el living propinándole un sermón del cual me avergüenzo, al punto de omitir los argumentos.

No era por su atuendo imperturbablemente hippie, ni por los collares, camisolas y pulseras: lo impactante era su pelo. Nunca en mi vida había visto una melena como ésa. No un pelo hasta los hombros, ni siquiera hasta la espalda, era un matorral igualito al de María Félix, que le caía hasta la cintura.

Con el correr del tiempo descubrí que el temible drogadicto ni siquiera fumaba, que era vegetariano, pacifista y laburador. ¡Más bueno que el pan francés, el pobre Antoine! Y a los pocos meses hasta se cortó el pelo. En ese mismo instante mi hija lo dejó de amar. Misterios que sólo Dalila puede explicar, pero según mi interpretación didáctica y edificante fue porque no se trataba del "GRAN AMOR", tema que, como se comprenderá, aún es materia de debate en la familia.

Resumiendo: mi hija (no me explico por qué), optó por no presentarme ningún novio más. Sólo le he suplicado que en su momento me invite por lo menos al casorio, pero ella dice que lo está pensando. (¡Rencorosa!)

4. MI HIJA
ENTRÓ EN TERAPIA

Pongamos, antes de comenzar, las cosas en su sitio, porque no es cuestión de andar desacreditando a la familia al divino botón.

No se trata exactamente de que mi hija esté loca de atar, y hasta me atrevería a afirmar que su cordura es –de lejos– superior a la de su madre, que vengo a ser yo, a su misma edad (lo que pensándolo bien, no dice nada).

Cuenta a la sazón con unos espléndidos dieciocho años y, vista desde afuera, una podría pensar que necesita un novio, para decirlo con finura, pero jamás un terapeuta. Sin embargo, como lo que se hereda no se hurta, sus rayes tiene. No exagerados, pero el progreso influye.

Quiero decir que en mis épocas, cuando las mozas nos poníamos raritas las viejas apuraban el noviazgo; mientras que en la actualidad, las chicas van a terapia. En eso estamos.

Los mea culpa

Tengo para mi coleto una muy pobre opinión de las madres en general y de mí en particular. Más aún, para cualquier "voyeur" de la naturaleza humana, queda en claro que como gremio aceptamos subdivisiones curiosas y repugnantes; están las mártires a perpetuidad, las sofocantes, las impertérritas y las "ponete el saquito". Como el objeto de esta nota no son las madres, me limito a los enunciados y me autoencuadro en el género de las "ponete el saquito". Es decir: el crío puede tener un ataque de varicela o un poco de nostalgias, ganas de hacer pis o de irse al Africa, tener que ir a la escuela o decidir su suicidio y nosotras recomendaremos invariablemente "ponete el saquito".

Dentro del ancho mar de mis falencias debo admitir también que desconozco por completo la forma de ejercer la más mínima autoridad. Peor aun, durante mucho tiempo creí que eso era una más de mis virtudes, habida cuenta que odio tanto mandar como que manden. Sin embargo, parece ser que una madre "debe" ser autoritaria. Cuando la pedagogía me lo informó y quise enmendar tan grave error, todo fue inútil. Nunca sabré si porque la niña ya se había vuelto demasiado grande o yo demasiado vieja, pero me he roto el alma al cuete. Grito, me desmeleno, tiro zapatillazos, pongo cara de que sufro mucho, pongo ojos de que he llorado mucho (¡soy una farsante!) y lo más que recibo es un irónico *"ma sí, vieja, no te mandés la parte"*.

Por su lado, la pequeña bestezuela me acusa de los siguientes cargos:

a) haberme casado con su padre; b) haberme divorciado de su padre; c) haber hecho todo lo anterior demasiado temprano y demasiado tarde respectivamente; d) haberla desalentado en sus intentos de estudiar: canto, cerámica, japonés y artes marciales; e) ser demasiado joven; f) ser demasiado vieja; g) ser pobre; h) usar rimel, descreer de la macrobiótica, tener la nariz grande y tratar de "usted" a sus amigos; i) haberla hecho con pies planos (¡vive Dios, con el apuro que una tiene en esos trances, como para andar fijándose en los pies!)

Releyendo esta errática enumeración de mis culpas, descubro que sólo *no* estoy acusada de "lesa respiración". Y como comprenderán no puedo hacerme cargo de semejantes infamias.

Una analizada desde afuera

Al comienzo no pasa nada demasiado notable, salvo un particular silencio zen, ese silencio de los que han alcanzado la sabiduría y callan, o están en duda y piensan. Debo reconocer que mi hija callada es un espectáculo desconcertante, pero como tiene por costumbre discutirme hasta la hora en que vino al mundo, un no sé qué de alivio se había instalado en nuestro hogar. Duró poco. Un buen día, durante el almuerzo, con la misma inocencia de Drácula relojeando una yugular, lanzó sobre el mantel la siguiente granada: *"Mamá, ¿te acordás de la pelea que tuviste con papá cuando yo tenía cuatro años?"* El raviol que estaba comiendo se me incrustó en el ojo por el lado de adentro, tosí para desprenderlo y el queso rallado me salió por las orejas, rebuzné y la glándula pineal se me dilató. Es hora de aclarar, para mejor comprensión de la audiencia, que hace años que no veo a su papá y que sólo lo evoco en mis pesadillas. Cabe puntualizar también que asocio mi primer matrimonio a la guerra de los Cien Años, con un toque a lo Vietnam.

¿Cómo hacer entonces para recordar "esa" pelea de los cuatro años?

Lo intento y lo intento, después de todo una quiere contribuir al éxito de la terapia, pero el esfuerzo es inútil. Mi hija me observa debatirme en la amnesia, sacude la cabeza y muy despectivamente sentencia *"sos una negadora".* Me revuelvo indignada, ¡¿Negadora yo?! ¡Tu abuela! ¿Qué será ser una negadora?

Me miro al espejo para ver si algo en mi rostro delata semejante calamidad, pero sólo encuentro mi habitual cara de vaca ruluda. En fin, que la discusión pasa pero mis genes de vaca obstinada se empecinan en el tema "tengo que recordar".

¿Conocen algo más deprimente que recordar las peleas que una mantuvo con un ex marido, salvo las que se mantienen con el actual? ¿Saben la clase de úlcera a la que una se expone por intentarlo? En síntesis, tres días después tengo ojeras hasta el ombligo mientras la analizada, quien sin duda ha tomado por otros rumbos en su terapia, luce fresca como una lechuga. ¡Aschiscorrnia maledeta!

Ya no soy tu Margarita, ahora me llamas Margot

Como queda en claro soy una casada reincidente de las que creen que el primer matrimonio es para padecer y el segundo para disfrutar. Y, además de creerlo, hasta me sale bien (toco madera).

Sin embargo, como sucede en las mejores familias, aun en nuestra idílica paz irrumpen unos boloquis de novela. Por cualquier motivo, siempre tan nimios como estruendosos, la trifulca se arma y se desarma sin mayores consecuencias. Pues bien, en la era "preterapia", ante el menor signo de jaleo mi hija se encerraba en la pieza (con la oreja bien puesta contra la pared, como corresponde), para surgir de allí cuando todo había terminado e incriminar con una silenciosa pero elocuente mirada a su papastro. Es decir, la criatura se mostraba adecuadamente solidaria con su madre, pertinentemente discreta y sobre todo, absolutamente incondicional a una causa que vagamente había rotulado "libertad a las mujeres oprimidas" (causa en la que me incluía y se incluía por las dudas). Era realmente cómodo y estábamos todos felices hasta que la terapia perturbó nuestra dicha. En la actualidad, en cuanto la renacuaja percibe la menor posibilidad de gresca, corre con su tejido a instalarse entre nosotros (desde hace varios años está tejiendo un presunto pulóver de color también presuntamente gris, mera engañifa para no lavar los platos). Cuando la tormenta ha pasado, se relame con una sonrisa gatuna, sacude la melena, pifia otro punto de su tejido y murmura sentenciosa: *"¡Qué episodio te mandas-*

te, vieja!". ¿Episodio yo?, ¡por las barbas del profeta! ¿Qué se ha hecho de esa solidaridad incondicional? ¿Dónde fue a dar aquella reconfortante mirada que clamaba "estoy con vos para siempre y contra todos"? ¿Es que acaso, una, que se ha esforzado en brindar a la hinchada su mejor versión de "pobre mujer dominada por un sátrapa", no merece al menos las congratulaciones de su propia hija? Pues al parecer no, no las merezco. Y en una de ésas... no, ¿me las mereceré?... quién sabe... ¡me cache en la terapia!

La pasajera invisible

Como se habrá visto, no tengo mayores reparos en reconocer que como madre debo provenir de una mesa de saldos y retazos. Pero de allí a que una terapeuta conozca todos los detalles de nuestra vida privada, media la misma distancia que va entre reconocer que uno se baña a invitar al consorcio a que venga a presenciar la ducha. Sin embargo, cuando una terapia comienza una siente que una persona extraña e invisible se ha instalado en la casa, comparte nuestra mesa y se inmiscuye hasta en nuestras más íntimas intimidades. Inevitablemente entro entonces en una manía persecutoria del tipo "qué pensará esa persona de nosotros" o más precisamente "qué pensará de mí", (me importo una barbaridad). ¿Le contará, por ejemplo, la renacuaja analizada que viene a ser mi hija, que cuando su hermano me lleva a las seis de la mañana la libreta para que se la firme, le revoleo una chancleta por la cabeza? Para mí que se lo cuenta. Pero, ¿le aclarará que le tiro el chancletazo porque el muy truhán se aprovecha de esa impropia hora de la madrugada para contrabandearme amonestaciones y aplazos? Más aún, ¿tendrá la gentileza de explicarle, a fin de mejorar mi imagen, que en la perra vida le he acertado con un chancletazo en el mate? No, seguro que "eso" no se lo cuenta; segurísimo que la deja con la idea de que todos los días del año levanto a mis hijos a las patadas, los incrusto contra las paredes, o les arranco las uñas con las tijeras.

Otrosí digo. Analicemos un día típico que culminará en un exabrupto que deja por el piso mi imagen materna. Por ejemplo: tengo que entregar tres notas para antes de ayer y he esperado, como de costumbre, el último minuto de hoy; me chorrea el techo del baño (gentileza de la vecina de arriba a quien se le pinchó un caño); pesa sobre mi conciencia, cual el fantasma del padre del joven Hamlet, una tonelada de ropa para lavar; las ideas parecen haber huido en patota de los alrededores de mi máquina de escribir. En medio de ese panorama, la bestia menor prende el equipo a todo trapo y, para rematarme, llega un vendedor de bolsitas de nylon o abuelos en desuso (la gente, hoy en día, anda vendiendo cualquier cosa). Así arribamos al trágico momento en que, en medio de ese maremagnum, la infrascripta interrumpe mi tecleo para vociferar que ni piensa lavar los platos porque le toca al hermano y se descuelga con una proclama feminista. ¡Oh, Dios! ¡Con qué fantástico alivio la mandaba al recuerno antes que la pasajera invisible se instalara entre nosotros! ¡Cuán feliz me sentía cuando no llevaba a una terapeuta espiándome sobre el hombro izquierdo! Porque, ¿qué pensará ella de mí, si la mando saludablemente al carajo?

Claves y banderías

Con el correr de los meses he observado también que los analizados tienden a agruparse como una logia. El lema es: para un analizado no hay nada mejor que otro analizado, excepto su analista. Y es precisamente sobre los analistas, que escucho los bocadillos más sabrosos. Por lo que he podido colegir por las charlas que sostienen mi hija y su prima (en raye también), el prestigio de un analista parece medirse por el tiempo que puede permanecer callado, sumado al grado de enigma de sus escasas sentencias.

Digamos que cuanto más incomprensible y mudo, mucho mejor.

Claro que ambas mozas están en el look lacaniano y ha llegado entonces el momento de adentrarnos en el tema de las banderías; todo analizado, tengo la sensación de que lleva puesta su camiseta partidaria. Están los lacanianos, los freudianos ortodoxos, los bioenergéticos, los de "grupo" y así sucesivamente. Siempre en el estilo de mis investigaciones de campo (con la oreja pegada contra la puerta, que es el modo más efectivo de enterarme de todo), entiendo que los analizados, aunque en privado defienden su escuela, cuando se entrecruzan mantienen una sacrosanta discreción no agresiva con los del bando contrario. Después de todo es lógico, porque un terapeuta se vive —creo— como mamá/papá respectivamente, y como dice la sabiduría popular "con Gardel y la vieja... nunca".

En síntesis: que con una analizada en casa todos marchamos como sobre un campo minado de posibles traumas comprometedores, actos fallidos, embarazosas negociaciones y escandalosos episodios. ¡Juna gran flauta!

¡Y pensar que la rayada era ella!

5. MI HIJO
SE RAPÓ LA CABEZA

Con ese candor infernal que como madre llevo a cuestas, llegada cierta altura de la adolescencia de mi hijo varón (mala parte de mi buena entraña) me di a creer que ya no podía ocurrir nada peor.

El joven no había demostrado hasta el momento ningún otro mérito que amar a Borges hasta la memoria y una ardiente admiración por los escritores rusos. Todo lo demás, era condenación y espanto. Al menos no usaba arito en la oreja por ser profundamente machista (cosa, a mi juicio, tan inconveniente como ser gay, con la única y cómoda ventaja de pertenecer a las mayorías). Pero nadie se esperaba lo que vendría después...

Eranse esta madre, su esposo y un grupo de amigos, sentados en el bar cordobés "La Paz", al sereno de la noche provinciana, mirando transcurrir apaciblemente la vida, cuando por mi lánguido costado del ojo vi cómo avanzaba hacia nosotros un ser monstruosamente pelado, mezcla de naranja mecánica y criminal de guerra nazi. Con discreción volví la vista a mi café, mientras reflexionaba acerca de por qué la escoria de los subtes de Manhattan había llegado a nuestra aldea. Y eso que (¡doble prodigio!) ni siquiera teníamos subtes...

Mientras meditaba en la decadencia de Occidente y pensaba qué clase de madre habría tenido el espécimen que se acercaba, el codo del papastro se me clavó en las costillas:

—¡*Saludá!*—me gritó en un susurro (es la única persona que puede gritar susurrando).

Alcé los ojos para saludar (¿a quién?) cuando vi que la bestia del Apocalipsis me sonreía alegremente, se paraba junto a la mesa y me decía:

—¡Hola, vieja!

¡Dios mío! ¡Era "él"! ¡Esa cosa deforme, mutilada, amenazante, era mi propio hijo!

"¡Las sales!", grité mentalmente, como habría hecho Madame Bovary. Pero las sales no existen más, y ella no tenía hijos pelados.

Con el café luchando por salirse a la fuerza por mis orejas, atiné a musitarle un: *—"En casa hablamos..."* El King Kong con alopecia diose por enterado y se esfumó, mientras yo terminaba de guardar las apariencias y peleaba por guardar el café en el estómago.

Pedajodía de entrecasa

Cuando finalmente pude salir del bar, recuerdo como entre sueños que el papastro me conminaba con argumentos del tipo: *"no hagas drama, no lo vayas a agredir, calmate, no es para tanto"*. ¡Claro, él no era la madre de ese chico pelado! Al llegar a casa, con absoluta lógica y demostrando la más clara inteligencia frente a la situación, me tiré en la cama, me tapé hasta la cabeza y me puse a llorar a los gritos.

Desde la cocina se oían sordos ruidos de diálogo. Hasta parecía (sí, "parecía") que se estaban riendo. El papastro alternaba las carcajadas de la cocina con disparadas al dormitorio, donde me mezclaba consejos con ofertas de coramina.

Transcurrido un tiempo prudencial, se produjo el encuentro cumbre.

Yo ya había concluido que a mi hijo le había pasado "eso" porque:

—no le di la teta cuando era bebé (claro que yo tenía hepatitis, aunque seguro que la hepatitis me había agarrado ex profeso para no darle la teta);

—el pobrecito se había ligado una trompada a los once años (propinada por "mis propias" manos, una vez que se fue a jugar y olvidó volver a casa);

—jamás le festejé el Día del Niño por considerarla fiesta comercial.

Y así seguí sumando culpas hasta convencerme de que la única responsable de esa mutilación pilosa era yo. De tal suerte que, cuando apareció en la pieza y por fin asomó la cabeza de abajo de las sábanas, lo primero que atiné a decir con la mayor ternura fue:

—¡Pedazo de imbécil, qué te hiciste!

Comienza el partido

A partir de ese instante y durante tres meses (tiempo que, por si les interesa, demora en crecer un pelo medianamente normal) desatóse en el seno de mi hogar una de esas batallas sólo superables por las de Beirut.

En el acto se formaron bandos. A la izquierda de su pantalla, señores, se abroquelaba el desacatado, asistido en la ocasión por su hermana (que encuentra especial deleite en cualquier causa que me saque de quicio) y el papastro (que oscilaba entre un arbitraje decididamente tendencioso, a la lisa y llana toma de posiciones, a favor del pelado, of course). A la derecha de su pantalla, esta madre, sola su alma, pero con el apoyo moral del vecindario, la mayoría de la sociedad, la totalidad de las fuerzas de seguridad, el silencioso aliento de las represiones en general y un ataque de nervios que no cesó en noventa días de reloj.

Veamos los argumentos de cada bando:

los muy cretinos (quiero decir *"ellos"* pero como la historia la cuento yo, adjetivo como me parece) aducían:

a) el artículo 18 de la Constitución Nacional;

b) el libre derecho de hacer lo que les viniera en gana;

c) apreciaciones del tipo estético, como que "pelado queda mucho más lindo";

d) como remate final, usaban mis propias argumentaciones a favor del pelo largo y en contra de la represión que, con toda imprudencia, escribí y firmé bajo la dictadura, para tildarme por último de "señora gorda, contradictoria y milica".

Por el bando de la *gente normal* (el mío), se sostenía que:

a) el pelo en la cabeza estaba por algo (no me animaba a citar a Dios para no ser linchada);

b) la falta de pelo indicaba también algo, a saber: prisión reciente, operación de cráneo o chifladura ingobernable;

c) como todos convivimos juntos, resultaba tan ofensivo un pelado para la vista como un sucio para el olfato;

d) "qué va a decir tu abuela si te ve" (forma de enmascarar el "qué van a decir de mí").

Mis argumentos —sangro aún al recordarlo— le causaban tanta impresión como la cotización de la albahaca. Peor aún: durante los primeros siete días, la hermana lo afeitaba todas las noches en abierto desafío a mis soponcios y amenazas.

Para poner fin a tanto escarnio me acordé de Marx y Rockefeller y, aunque no he leído a ninguno de los dos, creo que ambos hacían pasar todo por la cuestión del dinero. Así fue como me adherí a la vieja máxima: *"si no puedes con tu enemigo... ¡sobórnalo!"* Durante un mes consecutivo la bestia era premiada cada fin de semana con unas dracmas si no se afeitaba y así, lenta y corruptamente, comenzó a crecerle el pelo.

De peludos y poludos

De todo el episodio han quedado algunas fotos donde el joven posa como un prisionero de San Quintín y una saga de bromas familiares.

Personalmente, pude sufrir en carne casi propia la feroz intolerancia de esta sociedad que nos quiere aliñaditos y alienaditos, que nos acepta alegres o suicidas, decentes o ladronzuelos, pero jamás, jamás, *distintos.*

Desde la cana que le pidió maniáticamente documentos hasta que le creció el pelo, pasando por la universidad (donde tuvo que inventar no sé qué historia) todos, absolutamente todos, incluyendo a su madre (yo) nos sentimos aterrorizados, violentados y escandalizados frente al espectáculo de lo diferente. A la larga fue tan grande el acoso, que cada miembro de la familia inventaba mentiras a diestra y siniestra. Decíamos, por ejemplo, que había sido una apuesta, que los amigos le habían hecho una broma, que fue una despedida de soltero y hasta, confieso con vergüenza, que se trataba de *una promesa.* Por supuesto, lo que más cosechaba adhesiones era la explicación de *la promesa.* Vaga pero férreamente, *la gente tiende a considerar más natural que alguien se rape en nombre de la Virgen que en nombre del propio placer de verse pelado.*

Fueron tres meses azarosos plenos por igual de puteadas en el frente interno y solidaridades en el externo. Porque a la hora de descubrir que el prójimo es tan terrible como la peor parte de uno mismo, necesariamente uno se une a los propios aun en sus demencias, sus juegos o sus predilecciones.

Porque es cierto que es peludo tener un hijo pelado, pero es peor vivir en una sociedad tan "poluda".

6. MIS HIJOS ESTAN EN LA UNIVERSIDAD. ¡Y "DAMOS" EXAMENES!

Cuando una se va poniendo vieja y el seso se apolilla de nostalgias, tiende a pensar que la Universidad era bárbara... Con el correr del tiempo, nos toca convivir con hijos universitarios y descubrir, por fin, la otra cara de ese presunto paraíso. En carne propia, página por página, parcial por parcial, se comienza a desarrollar la más alérgica de las fobias a todo tipo de cultura. Porque los universitarios, esos "nenes de papá", estudian en su casa... ¡mi casa! A esta altura del año, con la lengua afuera, reivindico a Patoruzú (presunto analfabeto), Jesucristo (inciertamente ágrafo) y al inefable Tarzán, cabal ejemplo de cuán lejos se puede llegar en el mundo naufragando en la más tierna bestialidad. ¡Qué tanto joder con el estudio!

En nuestra casa viven dos estudiantes de la glorisosa Universidad de Córdoba.

La única razón por la que permanecen allí –nuestra casa– es porque son mis hijos y han terminado por convencerme de que debo mantenerlos de aquí a la eternidad (fecha aproximada de sus respectivos diplomas).

La nena:

Cursa Ciencias de la Información, carrera que viene a ser esta década lo que Filosofía y Humanidades fue para los años '60: un reducto de pelilargos donde se cambia el mundo todos los días, se hace una peña todas las semanas, se vive en una permanente solidaridad con algo, hay paro por múltiples motivos y movilizaciones por casi la totalidad de los

31

motivos. Se adora la Nueva Trova Cubana, pero el verbo "estudiar" es de imperfecta conjugación. Al menos así era mi facultad, pero acepto que puedo equivocarme y que, en una de ésas, ésta es peor.

El nene

Estudia Medicina. Disciplina temible que chorrea nombres difíciles y exige espantosas horas de estudio para memorizar pedazos de cuerpo absolutamente inútiles, cuando no inexistentes. Jamás oí a un médico decir: *"Señora, usted está enferma del timo"*, aunque mi hijo insiste en que "eso" está en algún lado de uno mismo. (Qué va a existir, si a mí nadie me avisó y eso que a hipocondríaca no me gana ni Pirulo...)

Lo que "no pueden hacer" porque están estudiando

Durante todo el año ambos, personajes deambulan por la casa, rompiendo medianamente la pava, pero a fines de diciembre son capaces, entre los dos, de romper toda una fábrica de Durax.

Así es que sobre el calor y la mufa de noviembre se acumulan el calor y la mufa de diciembre. Sobre calores y mufas (y sobre mi paciencia) se encaraman mis hijos que, de natural insoportables, se vuelven directamente insufribles.

Se supone que trasnochan "porque están estudiando", que viven al borde del surmenage "porque están estudiando" y, en general, que "no pueden hacer nada de nada" que no sea estudiar. Cualquier pedido de colaboración se transforma en batalla: "¡Pero vieja! ¿No ves que rendimos?" (¡Mala yunta!)

Y entre lo que *no pueden* hacer, encontramos...

a) *comprar el pan* (porque es altamente contraproducente con el estudio del ciclopentanoperhidrofrenantreno que, aunque no lo crean existe).

b) *secar el baño* (se sobrepone a la teoría de la Comunicación II).

c) *poner la mesa* (altera la alquimia de los glóbulos rojos).

d) *levantar la mesa* (perturba la memoria de McLuhan).

e) *iniciar cualquier tarea tendiente a transformar la cueva de oso donde duermen, en un lugar de mediana salubridad.*

Eso sí: en medio de todo este desquicio hay una ventaja. Se terminaron las frenéticas peleas del "te toca a vos" con las que suelen culminar los pedidos de laburo por y para la casa. Ahora, lisa y llanamente, ambos vuelven una lánguida mirada hacia mi persona y afirman: "Te toca a vos. *¡Nosotros rendimos!*"

Los ahorcaría con un repasador, pero.. ¿quiero o no quiero hijos universitarios? Más aun: ¿quiero o no quiero a mis hijos?

Así que, finalmente, "me toca a mí". En verdad, intento vengarme poniendo cara de madre gorkiana y procurando traslucir la *medida* de mi sacrificio, esperando que les dé culpa. Pero no les da...

Cuando traen a un compañero a estudiar

Como ustedes saben, los estudiantes en lides de rendir *se juntan*. La macana es que en nuestro departamento, en caso de tos, conviene toser en el palier, ya que adentro un suspiro es aglomeración. De tal suerte, un *compañero de estudio* es más engorroso que elefante en heladera.

Así y todo, *siempre* hay un compañero en casa. El primero fue una herencia de la primaria que compensaba su inacomodable metro ochenta de altura con la virtud (?) de conocernos desde que era chico. Es decir que frente a él, ya no había nada que disimular.

Sin embargo, por esos azares achacables –en este caso– a *"Anatomía",* este año apareció "otro" compañero. Desconocido. Y al unísono, la familia decidió dar "buena imagen". Dios es testigo de que la misión nos costó mucho. Dentro de esa Buena Imagen, debía entenderse no mostrar el hilachón cotidano y disimular defectos y aberraciones varias en las que abundamos, como "maravilloso grupo humano que somos"

Así, se redactó una secreta Orden del Día:

Edicto N° 1: no parecer "tan" pobres. Es decir, jugarse con un postre frente al invitado.

Edicto N° 2: no parecer "tan" mal hablados. Es decir, suspender hasta nuevo aviso todo tipo de puteadas, carajeadas y otros términos soeces que suelen abundar entre hermanos.

Edicto N° 3: no parecer "tan" quilomberos. Abstenerse, los adultos, de iniciar esos despelotes que se concretan con una zampada final de agua en la cabeza.

Edicto N° 4: no parecer "tan" desnudos. Valga aquí la aclaración de que la familia padece de *nudismo púdico:* la niña se pasea en la intimidad envuelta en una toalla (versión desmejorada de Isadora Duncan); el joven futuro profesional anda con unos slips que avergonzarían a la Comunidad Homosexual Argentina; el papastro se encierra en la pieza desnudito como el Niño Jesús, y la que suscribe se enfunda en un short comprado en río (de cuarta "D") y –por arriba– en un pedazo de alguna prehistórica bikini (todo fresquísimo, pero un requemo tendiente a atentado ecológico). Vestidos tan singularmente, todos circulamos por la casa gritando alternativamente: *"¡Vestite, carajo!",*

"¡Golpeá antes de entrar!", "¡Nena, no salgas así al palier!" y "¡Che, no anden en bolas, coño!"

Claro, sumado todo lo anterior, se infiere que la farsa de ser tiernos, decentes y ricos es farsa difícil de mantener. A la larga o a la corta, nuestro verdadero ser surge a los ojos de nuestros invitados con estremecedor esplendor, y una termina convencida de que nuestra honra será paseada por las calles de la aldea con todos sus ominosos detalles. ¡Vergoña!

Examen rendido, familia ídem

Y así entre calores y ahogos propios del final del año, los nenes de papá (y de mamá) terminaron de "rendir".

Debido a los paros docentes que fueron de público conocimiento, para asegurarse de la fecha de exámenes debieron recurrir al horóscopo chino, el tarot y la Difunta Correa; pero al fin (¡abracadabra!), más o menos acomodaron sus materias.

Pero la comedieta tiene un final más dramático aún; es el preciso instante en que los pichones de cuervo graznan al unísono: *"¡Vacaciones!"* No sé si ustedes captan el mensaje: no sólo hubo que mantenerlos, pertrecharlos, cobijarlos y soportarlos, sino que además hay que... *¡pagarles el esfuerzo!*

¡Qué los parió a estos nenes de papá! Aunque, pensándolo bien, fui yo quien los parí.

A poner el lomo, entonces, que después de todo estamos trabajando para los desocupados del futuro.

7. UN HIJO DOCTOR SALE UNA CALAVERA Y MEDIA

Quizá lo soñaba mi viejo en la cubierta del barco, y me consta que se lo escribía cuando el niño tenía seis añitos: "Portate bien, estudiá mucho y cuando seas grande vas a curar a tu abuelito", rezaban sus cartas tan llenas de amor como faltas de pedagogía. Nadie intentó resistirse a este mandato y así, inaugurando el '85, partió para la facultad nuestro futuro y folclórico "hijo doctor". Lo que nadie pudo prever es que en tal empresa había que poner el páncreas, la hipófisis y la parte inferior del duodeno... ¡Qué mishia, Dios nos guarde!

Por si vuestro hijo ha decidido seguir Medicina, les voy contando que el educando debe llevar a tal fin un delantal blanco, una carpeta tamaño oficio y cinco lapicitos de colores.

Revisando la lista es fácil acordar que resulta modesta comparada con la de la primaria y secundaria. Pero revisando la situación económica, al que me discuta que es poco lo muerdo en la yugular. Lisa y llanamente no estoy dispuesta a comprar *OTRO* delantal a esta altura de mi campeonato econo-materno.

Veamos mis argumentos: si "no hay ninguna certeza" de que los quichicientos que ingresan el primer día lleguen ni tan siquiera a julio, y la criatura deja, ¿qué hago con el guardapolvo? ¿Pongo un puesto de vacunación al paso o me empleo en un frigorífico? En síntesis, la prenda desató la guerra santa. Como medida de emergencia y dado que ni en curda iba a largar la guita para ¡OTRO! delantal (léase con esa mezcla de escándalo y sollozo que solemos poner las madres en nuestras quejas) propuse que llevara alguno que anduviese suelto por la casa. Brillante idea... pero el único que pudimos conseguir fue uno de su hermana... ¡rosadito!

¿Han notado qué obcecados son los adolescentes? Pues el que les dije se resistió frenéticamente, resultando inútiles mis apasionados argumentos sobre la personalidad, el FMI y el "¡ponételo carajo!".

La cosa tomó visos de escándalo. Como directa damnificada, puse en duda la moral de la mamá de Hipócrates para abajo, pasando por toda la ciencia médica en general. Presurosa intervino una médica quien recién recibida ya se ha pasado al establishment, y me explicó por qué es "imprescindible" un delantal *(no entendí bien si es para que los chicos no se contagien de las porquerías que tocan o las porquerías no se contagien de los chicos).*

Fue inútil, y ya al borde de quebrar toda negociación y quedarnos con el Favaloro en casa, corrió al rescate su casi prima y casi doctora Sara Mathé con una prenda de ella, apenas si cinco talles menor que el niño, y que prende al revés. Pero vista de lejos no se nota. Creo. Y además es blanca. El delantal ya estaba, aún nos quedaba la carpeta, cuyo tramiterío fue igualmente convulso.

Atiendan mi razonamiento: si en la casa han quedado unas doscientas tapas como rezago de guerra del secundario, ¿por qué no forrar alguna y santas paces? Sin embargo, alguna misteriosa relación debe haber entre el tamaño "oficio" y el arte de curar, pues era así o nada.

Decidí: nada. Pero esta vez se conmovió la hermana, quien aportó en calidad de préstamo una suya. Sin duda la mishiadura estimula la solidaridad entre los pobres, pues lunes y miércoles parte el futuro doctor con su carpeta repleta de etmoides y occipitales, los días restantes se vacía y se llena con sesudos apuntes de sociología de su hermana. *Tal vez a la larga la semiótica se confunda con el esfenoides y viceversa, pero un poco de enciclopedismo no le hace mal a nadie.*

Con los lapicitos me puse tierna (apenas cuestan como dos atados de puchos), tan tierna me puse que no sólo se los compré sino que se los puse en una bolsita muy naif que mi hija supo regalarme para el Día de la Madre. Claro que como la bolsa era para guardar maquillajes estaba toda adornada con florecitas multicolores... ¡Qué desagradecidos son los hijos! *¿Van a creer que me mandó a obsequiársela a Pedrito Rico?*

¡Allá vamos!

Llegamos así al primer día de clase, y allí estaba nuestro glorioso educando hecho un primor. Guardapolvo de prima, carpeta de hermana y lapicitos de la mamá (sin bolsita, me resigné). Bajo el aplauso cerrado de familiares y amigos partió a cumplir el viejo sueño de los inmigrantes, pero... ¿qué le ha pasado a esta Argentina? Para empezar, el primer día de clase fue como veinte días después, ya que los docentes los no docentes, y allegados estaban de riguroso paro, y una vez superados estos escollos aún nos faltaba lo peor.

¿Saben ustedes que para estudiar se necesitan libros? ¿Conocen tal vez que la Biblia de los ingresantes es don Testut en quince mil tomos? ¿Saben de alguien que pueda comprar los quince mil tomos? Si saben me avisan, así le pedimos el libro prestado. Lo cierto es que aun para un alma tan particularmente oblicua como la mía, pareció lógico que un estudiante necesitara un libro. Lo que no pude entender es por qué si ese texto se da desde la creación de la Universidad de Córdoba allá por el siglo XVII, no se puede conseguir usado. En su reemplazo sí se consigue el "Testutcito", que es una versión abreviada tipo libro gordo de Petete. Tal vez le falte algún hueso, pero como hay tantos sería una mala pata infernal que justo cayera un paciente con algún desacomodo en los huesos que no figuran.

Resumo: en un gesto que me honra compré la versión infantil para descubrir poco después que "además" había que tener el planisferio, que viene a ser como un libro aparte con los dibujitos de los huesos. Ahí me empaqué otra vez ¿Acaso no fue Einstein quien dijo que la imaginación puede más que el conocimiento? Y miren qué bien le fue... *Si una criatura alcanza a memorizar que el etmoides existe, ¿a quién le importa saber dónde queda ese hueso absurdo?* Una vez más me senté en la retranca, "nadie que tenga cierta sensatez se enferma del etmoides", yo nunca se lo escuché nombrar al Dr. Favaloro. *Sin duda esa exigencia era un complot, herencia de la dictadura para que nuestras criaturas no llegaran nunca a la televisión, ni tan siguiera a practicar aerobismo ni a tener clínicas para gordos.* En resumen, yo el "atlas" no lo compraba.

La desesperación cundió en el niño. Un fuerte movimiento de solidaridad de sus amigos trajo a nuestro hogar un fémur, una tibia y otros muchos huesos normales que a mi juicio eran más que suficientes para recibirse de médico, pero que según explicó el interesado nada tenían que ver con la cabeza, que era propiamente lo que debía estudiar.

Puro exitismo académico. La gente se quiebra el fémur a cada rato, hasta tengo una tía que se quebró la tibia. Son huesos populares, occidentales y cristianos, y no veleidosos, y extranjerizantes. Pero ustedes no saben cómo son de obcecados en esa facultad. *La casa se me llenó de huesos, tengo un pedazo de finado en cada pieza, pero todo resultaba inútil: el mastoideo o nada.*

Tener la manija

Como ustedes saben, el mundo de los adultos acepta cuirosas divisiones: los que tienen plata y los pobretones, los de Boca y los de River, los radicales y los peronistas, los de derecha y los desconcertados los chetos y los gronchos, los que leen Humor y los que leen Gente. Así más o menos es la cosa entre los adultos, pero entre jóvenes y amén de las diferencias ideológicas, *la línea divisoria está trazada entre los que tienen libro y calavera, y los que los piden prestados.*

El que tiene la calavera es más importante que el folclórico gordito que era dueño de la pelota y que jugaba siempre al fútbol por más que el baldío estuviese repleto y él fuese un nabazo. *Los que sólo tienen un fémur cachuzo y un libro incompleto, pasan a la categoría del tercer mundo, al subdesarrollo de la ciencia médica, y están sometidos por ende a todo tipo de presiones.*

Observo, con la curiosidad de un entomólogo, los sutiles manejos que se desatan alrededor. Si el de la calavera estudia durante el día, los "deshuesados" deberán tragar durante la noche. Si estudia por la noche, ¡a madrugar se ha·dicho! Si es errático en sus horarios, el tercer mundo deberá estar atento siguiendo sus actividades minuto a minuto para "cazar" hueso y libro al menor descuido. Si en vez de prestarlo decide estudiar en grupo, el resto deberá seguir el ritmo de sus neuronas y advierto que o la necesidad agudiza el ingenio o la opulencia la achancha, pero me parece que los que tienen "todo" son menos vivarachos. Tómese lo anterior como mera hipótesis.

Resumiendo, queda una pálida reflexión final. Para mi viejo y para Florencio Sánchez, tener un hijo doctor era la consagración máxima que ofrecía esta América que se estaba haciendo. A tantas generaciones vistas, una sigue el mandato, pero secretamente se pregunta: ¿Acaso no sería mejor en lugar de tanto afán por un hijo doctor, simplemente aspirar a un hijo feliz? Aunque, bien lo sé, la felicidad no da prestigio en el vecindario y, lo que es más grave, no se enseña ni se aprende en ninguna Facultad. ¡Por Hipócrates! ¿dónde hay que estudiar para ser doctor de la patria financiera, aunque tal vez haya que cambiarle el nombre al viejo sueño y en vez de decir "mi hijo el doctor", debamos decir "mi hijo de p....." ¡Si Hipócrates viviera!

8. IDISHE MAME DESOCUPADA SE OFRECE

Como se sabe, los hijos no vienen con un manual de instrucciones abajo del brazo. Esto vuelve a la maternidad muy incierta y nos hace proclives a tomar cualquier atajo que conduzca a la loma de los quinotos. Sin embargo, aun en medio de tanta confusión hay cosas que las madres damos por ciertas, por ejemplo: que seremos necesarias para siempre. ¡Espantoso error! Cualquier mañana nos levantamos añorando aquellos años cuando una podía decirles: "¡Ponete el saquito que si te resfriás me muero"!

Ultimamente los psicólogos han puesto de moda las palabrejas: "síndrome del nido vacío". Esto tiene una cierta resonancia a ausencias de pichones que cualquier mañana emprenden vuelo dejándola a una en medio de un plumerío sin sentido. Pues bien, no es cierto. Mis pichones no han volado de su casa. Según mi propia versión, es porque han entendido que si ellos no están yo me "moiro"..., me tiro por la ventana, meto los dedos en el enchufe o me como una zapatilla de rugby de mi hijo, que es muy penosa.

Sin embargo, existen otras interpretaciones. En mis días de depre sospecho que se quedan porque en casa hay heladera, agua caliente, porque quieren mucho al Ermeto (nuestro gato), porque sostienen espurias alianzas con su "papastro" y hasta porque no les cedería el equipo de audio, punto referencial de sus vidas. (Hace rato que sé que en esta carrera de *idishe mame* sólo se cosechan ingratitudes.)

Lo cierto es que mis criaturas permanecen, lo que no significa que "estén". Es decir, que me permitan desplegar mis habilidades, envolverlos en mis tiernos cuidados, ponerles el saquito, fisgonearles la vida y repartir consejos y prevenciones a mi machacante manera. Ellos están, la *que sobra soy yo.*

Como verán, soy una pobre *idishe mame* desocupada.

Los años han pasado, terribles, malvados

De vez en cuando miro a mi hijo, que es más grande que un ropero, absorto tratando de desentrañar los misterios de un hueso lleno de nombres horribles. Está claro que el hueso y su Facultad le importan mucho más que su madre. Transida de pena apelo al recurso de la nostalgia, le toco el hombro y le susurro:

—*¿Te acordás, querido, cuando ibas al jardín y yo te daba una bananita todas las tardes?*

—*¿Cómo carajo me voy a olvidar si vos eras la única madre del jardín que mandaba una banana para acompañar el mate cocido?*

Sabiamente me retiro de la polémica que se avecina, y me quedo rumiando aquellos dulces años, en que realmente fui importante. No interesa que no lo quieran reconocer, que sus corazones ingratos ahora pretendan olvidarlo o, como decía Borges —que *sí* era un buen hijo—, "rebajar a lágrima o reproche" tanto esfuerzo como he derramado en ellos.

¿Quién si no yo, su dulce madre, les ha firmado las cinco mil amonestaciones de la secundaria? ¿Quién si no su propia madre peregrinó de colegio en colegio cada vez que los expulsaban a los patadones? ¿Quién firmaba esas libretas repletas de ceros? ¿Quién acudía presurosa cada veinticuatro horas a responder las iracundas notas de sus celadores, profesores, directores y autoridades varias? ¿Cómo han podido olvidar que *casi* me han matado de dolor días tras día? Peor aún, ¿por qué lo recuerdan con ojos asesinos...? ¿Para eso los he criado?

En cuanto termine la nota voy y me muero.

La democracia no ayuda

Como cualquier persona normal se dará cuenta, la culpa de esta situación no es mía. En primer término es de ellos, pero como los pobrecitos no tiene la culpa (curioso silogismo que maneja de oficio cualquier buena *idishe mame),* en realidad la culpa es de los tiempos que corren.

Lo digo derecho viejo: esta infame democracia, este modo de

vida ajena a nuestra patria, ha contribuido mucho a dejarnos como mano de obra desocupada.

Años atrás una tenía buenos motivos para aconsejar tercamente *"¡llevá los documentos"!* y sólidas razones para desesperarse si no habían llegado a las once de la noche. Más de una vez he sacado a mi hijo varón de distintas comisarías por diversos cargos:

a) *Ser joven.*

b) *Tener el pelo largo.*

c) *Ser sospechoso de portar ideas.*

d) *Los infaltables documentos que sistemáticamente se olvidaba en casa.*

Eran tiempos divinos para una *idishe mame* que con el corazón en la boca corría a verificar que la cana no hubiese golpeado al bebé y a continuación le daba un buen sopapo, hecho lo cual caía en cama al borde de una muerte cierta por el disgusto que le habían dado.

¿Me quieren decir qué hacemos ahora, cuando la policía anda hecha unas pascuas, no se piden documentos, ni para casarse, y es impensable que aporreen a un adolescente porque sí? ¡Es una mala vida para este sufrido gremio de las *idishe mame!*

Creo también que las instituciones conspiran en nuestra contra. Veamos un poco la Universidad. ¿Por qué, vive Dios, no nos permiten firmarles las libretas de trabajos prácticos? ¿Por qué no nos citan para contarnos cómo andan de conducta nuestros hijos? ¿No se dan cuenta de que en cuanto se les da un poco de alas comienzan a creer que ya son grandes?

En mi caso particular, por esos misterios inexplicables, luego de un azaroso secundario mis criaturas afrontan responsablemente la Universidad, maniobra que me priva de lucir por fin las notas frente a las vecinas o mandarles una fotocopia a mis hermanos en el Sur. Debo confesar que cuando este año mi hijo ganó una ayudantía de cátedra, le imploré que me dejara ir un día a verlo. Oh, ¡para un corazón inmigrante, para alguien que se ha sacrificado hasta cualquier límite!, ¿qué mejor satisfacción que ver por fin al "hijo doctor" y, para más, "dando clase"?

El tema suscitó una amarga polémica en mi hogar.

La luz de mis ojos y orgullo de mi corazón intentó explicarme que *ningún ayudante de segundo año de medicina es doctor y mucho menos "da clase".*

—No importa —sollozaba yo—, *igual llevás delantal blanco, que es lo mismo que ser doctor. Además, yo sólo quiero ir, aplaudir e irme.*

La conversación terminó con un seco: *"Vieja, no rompas las paciencias".* En realidad dijo "las pelotas", porque aunque está muy bien educado me ha salido muy mal aprendido.

Se oye ruido de rotos prestigios

En los momentos en que me entrego a la melancolía propia de cualquier desocupado, se me da por recordar las épocas en que tenía voz y voto frente a mis vástagos. Mi palabra era consultada para esclarecer quién cruzó los Andes y hasta para las más serias definiciones políticas. Con la malevolencia propia de la etapa "dura" que atraviesan, mis hijos juran que siempre confundí a San Martín con Belgrano, que cada vez que les hacía un mapa les enchufaban un cero y que mis opiniones políticas, a la luz del revisionismo adulto, dejan mucho que desear. Creo que lo hacen para minar los últimos restos de mi autoconfianza...

De cualquier forma, toda persona de corazón sensible sabe que los juicios de una madre no se discuten. Pero al calor de la liberación de las huestes, todos los pilares de la sólida educación que les he brindado son borrados por una tempestad de racionalismo trasnochado.

Aseguran, por ejemplo, que si uno come sandía con vino no se muere; que no hay que esperar cuatro días para hacer una buena digestión y poder bañarse; que son mitomanías mías que quien huele de lejos el humo de la marihuana en el acto se hace morfinómano, se pincha todo y se cae en una zanja donde seguro lo comen los perros; descreen que las chicas pueden dividirse entre las que aparentan y las que son; les importa un reverendo carajo la opinión de los vecinos; dudan de que la sangre tire; desdeñan los peligros de "las malas compañías" (y ponen un énfasis amenazador en que las compañías se las eligen ellos); opinan fervientemente en esta peste de la democracia y con memoria emponzoñada me recuerdan cuando yo despotricaba contra la dictadura; y opinan que los ancianos se merecen respeto sólo en la medida en que se lo ganen.

De más está aclararles que, básicamente, se revuelcan de risa ante la idea de que su pobre madre (que vengo a ser yo) pueda morirse de pena por ellos. En verdad, creo que a esta altura hasta sospechan que soy inmortal.

En síntesis, señores, ya no me queda *nada por hacer*. Apenas si tengo cinco trabajos para ganarme la vida pero, por supuesto *"esos"* no cuentan.

En síntesis, soy una *idishe mame* sin empleo, tengo mi corazón aún repleto de traumas a propinar, mi intelecto rebosante de estupideces para enseñar, la mejor buena voluntad del mundo para enjaretar a una criatura los más extraordinarios complejos de culpa, conozco excelentes recetas para sacar un niño decididamente obeso o decididamente nauseoso frente a la comida. Estoy llena, en fin, de una sabiduría y un voluntarismo vacío de todo destino. Busco urgente trabajo; un niño, por amor de Dios, a quien volver decididamente loco.

9. ¡MI HIJO ES DOCTOR!

La presente está dedicada a madres y padres con hijos pequeños. El mensaje es el siguiente: si ustedes creen que vuestro crío apunta para ser un perfecto delincuente y sus hábitos incitan a sospechar un futuro sembrado de reformatorios... ¡anímense! Aquí estoy en condiciones de afirmar que no todo está perdido. Las cosas pueden cambiar de la noche a la mañana.

Se dice que hay familias perfectas que, tal cual las muestran en las publicidades, se levantan impecables, con cada rulo en su lugar y un afinado trino en sus gargantas, para festejar la exquisitez de un café o el mágico efecto de un laxante. Se afirma también que hay hijos perfectos quienes, luego de sembrar de alegría y orgullo la vida de sus padres desde el momento mismo en que dicen ajó, culminan su carrera siendo los jóvenes sobresalientes del año y pasan por programas de televisión luciendo cabelleras pulcras e ideas brillantemente privatizadas. Se rumorea, sin embargo, que no todas las familias ni todos los hijos pertenecen a esta clase. Y en esta espuria categoría militamos nosotros. Más aún, no sólo que no respondemos al identikit inicial sino que somos exactamente su negativo.

El jardín de infantes... aquel suplicio

Cuando mi hijo el doctor inició el jardín de infantes, comenzó un martirio que duraría doce años (lo que abarca la educación con el secundario completo). Puesta en situación escolar, la criatura demostró una precoz disposición a las conductas antisociales. Jamás conseguimos que una media se mantuviera en su lugar más de cinco minutos, que el delantal conservara sus botones y su cara dejara de tener rastros de todo cuanto se comía en el jardín. Peor aún: dejando de lado su higiene –que alteraba a sus maestras y me hacía quedar como la mona–, la criatura poco tardó en descubrir que no creía en las vías pacíficas para solucionar conflictos. Gandhi no era su estilo, en verdad parecía un adelantado de Rambo. Sumado a todo esto, ya mostraba signos de algo particularmente doloroso para una idishe mame: independencia. Exactamente el tipo de criatura que, si se perdía en el zoológico, mientras una buscaba a la policía y sollozaba sobre el elefante temiendo que se lo hubiera comido el hipopótamo, aparecía extasiado en la contemplación de los monos. Y, lejos de hacerse cargo de los gemidos maternos, replicaba imperturbable: *"Yo no me perdí. La que te perdiste fuiste vos"*. Dejando en claro, de paso, que le importaba un recuerno dicha pérdida. También durante el jardín se libró la batalla de las manzanas. Según mi pedagogía gastronómica, *eso* era lo que debía llevar un niño para crecer sano y fuerte. El se revolcaba a los gritos por galletitas dulces, de esas que arruinan el estómago para siempre.

Sólo muchos años después me enteré el motivo de tan sangriento combate: ¡en el jardín les servían mate cocido! Algún analista debe haber colegido, de esta anécdota, que pertenezco a esas horribles madres que no se preocupan por esos detalles. Y pertenezco, nomás.

Vamos a la primaria

De más está aclarar que allí tampoco mejoraron las cosas. Decididamente empeoraron. El delantalcito de cuadrillé azul fue reemplazado por un guardapolvo que jamás consiguió otro tono que el gris plomizo. Y la bolsita con el nombre bordado, por un portafolio rebosante de todo... menos de útiles escolares. Casi como entre brumas, recuerdo haberlo visto extraer de él una babosa primorosamente guardada en una cajita con algodón. Fue también un efectivo medio para transportar rumbo a casa cuanto gato encontraba suelto y hasta perros que, según juraba, había encontrado perdidos.

Las notas de las maestras comenzaron a arreciar. Encabezadas por un frío *"Señora mamá"*, seguían con un frenético detalle de las andanzas del alumno. Quejas por tirar tizas, tirar pelos, esconderse en el baño, "guardar un comportamiento impropio mientras se izaba la bandera", alterar el orden del grado y una enumeración tan penosa que, por su abundancia, hasta les hacía olvidar que jamás llevó "la tarea" hecha. Fue la única criatura de la que tengo conocimiento, que volvía del colegio... ¡sin un zapato! Realizadas las investigaciones del caso, siempre se llegaba a descubrir que lo había perdido en una pelotera. En aquellos días aciagos y aprovechando su aspecto siempre deplorable, pedía limosna en la plaza, con grave desmedro del *status* familiar que, aunque siempre temblequeante, nunca descendió a la mendicidad. En séptimo grado decidí declararme en rebeldía: si querían agregar una palabra más que infamara a mi bebé, que fueran a casa. Pero ni la sagrada vocación sarmientina llevó nunca a una maestra a nuestro hogar, así que se limitaron a enviarme notas cada vez más ofensivas. Hasta que llegó fin de año, donde fuimos de incógnito a retirar la libreta, dimos un grito de guerra y partimos...

Al secundario

Esta etapa resultó particularmente compleja, y como siempre, desdichada. Al joven héroe se le sumó a sus muchas virtudes el feroz despertar de sus hormonas. Fue época de novias y de misteriosos estudios de matemáticas que se hacían en su cuarto a puerta cerrada. Para aclarar aún más la situación, se agregaron códigos: si la puerta estaba solamente cerrada convenía no golpear, pero si además estaba trancada con una media roja de rugby era más adecuado irse del departamento y llamar a los bomberos. Mientras le aparecían los tres pelos que iban a resultar ser su barba, su conducta empeoró y alcanzó proporciones policiales. Eran años de dictadura, así que lo detenían por portación de adolescencia, presunción de gustar de la música rock y aire de insubordinación que daban ganas, hasta a la madre, de meterlo en el calabozo...

Eran tiempos también de inaugurar "papastro" nuevo, quien demostró su inclaudicable amor acompañándome los fines de semana a rescatarlo de las más diversas comisarías. El sainete era siempre idéntico: de manera durísima le preguntaba adelante del oficial de guardia si no le habían pegado, dejando en claro que si así hubiese sido, iba a fusilar al culpable con su pistola reglamentaria. Cerciorada de que estaba indemne, pedía que nos dejaran solos. Y ya en la intimidad, le revoleaba un puñetazo como para voltear a Buffalo Bill (siempre hábilmente esquivado).

Creo que es inútil hablar de cuando se llevaba todas las materias a rendir o de los colegios de donde fue echado. Resumiendo: al terminar el secundario, Al Capone hubiese envidiado su currículum.

La vida te da sorpresas

Durante estos años, el rumor de mi aldea crecía y se consolidaba en una sola exclamación: *"¡Pobre, mirá cómo le salió el hijo!"*

No era cómodo, así que cuando me dijo que quería ser médico lo miré con espanto. Sin embargo, cual si el pastor Giménez hubiese entrado en nuestras vidas, qué digo, cual si el mismísimo Espíritu Santo hubiese encendido la llamita del calefón sobre nosotros, la historia tomó el rumbo de los aleluyas. La bestezuela había decidido estudiar y así lo hizo. El panorama se transformó. Cierto es que durante años conviví con huesos de todo tipo, frascos con contenidos innombrables en la heladera y otras cosas igualmente repugnantes, que hacen tan felices a los médicos y aspirantes.

El último año lo dejé solo, cuando partí para Buenos Aires. Y tuvo allí una afrenta más para hacerme: lejos de reincidir en sus fechorías, convertirse en drogadicto y destruir nuestro departamento en terribles orgías, se organizó como un prusiano, siguió estudiando y al año exacto ¡se recibió de médico!

Moraleja: la vida, según se sabe, es asaz inexplicable. Dentro de esta confusión, nada más inexpugnable que el misterio de los hijos. Desde la misma panza es incomprensible cómo una mujer que no sabe ni pegar un botón pueda hacer veinte preciosos deditos y poner cada una de las pestañas en su lugar. El misterio se ahonda con el tiempo. Nunca entendí, por ende, por qué mi hijo no se parecía a los de la familia Ingalls, y menos entiendo aún por qué decidió "reformarse".

¿Fueron mis llantos apocalípticos, mis monsergas insoportables, mis intentos de ahorcarlo, mis amenazas de suicidio, los consejos del doctor Escardó, las técnicas de las abuelas? La respuesta es insondable. Sólo sé que cuando le entreguen el diploma y me llore el mundo de la emoción, recordaré que en todo este largo trayecto, lo amé mucho. A veces con desazón, otras con ira, pero siempre sin desmayo.

La moraleja quizá sea no desesperar. La receta: una mezcla exacta de piñas y de ternura. Bátase bien y se obtendrá un hijo médico a los 23 años. ¿Será así?... ¡Qué duda! De cualquier forma los invito a brindar conmigo.

LA FAMILIA

*"¿Se imaginan el semillerío de malestar
que era una familia?"* **Haldous Huxley**
Sí, nos imaginamos.

10. ¡MAMÁAAAAAAAA!

Se ha hablado mucho de las madres. Sobre todo, de las madres que tienen hijos chiquitos, o adolescentes. Pero, ¿qué pasa cuando una, que ya ha crecido demasiado, se anima a hablar de su propia vieja –que también ha crecido demasiado–?

Es sabido que las madres, en cualquier época o formato, son óptimas para inspirar las más tiernas poesías y ocasionar los más morrocotudos traumas. Dan de comer por igual a bardos y psicoanalistas, cantan en nuestros oídos arrorrós envenenados, nos acarician con manitas de plomo y nos dispensan todo bien y todo cataclismo. Normalmente, aquellos que no cultivamos la poesía terminamos hablando de ellas boca arriba, 45 minutos por vez, dos días a la semana con tarifa reajustable.

Mis disculpas: al no tener analista, me veo en la obligación de infligirles lo siguiente.

Estas ideas surgieron la última vez que nos vimos con mi vieja. Terminaba de contarle un mambo personal que me tenía sin dormir desde hacía varios meses, y siendo ella una persona de sensatez ejemplar le acababa de pedir su consejo. Propiamente, una escena de "Mujercitas".

Luego de escuchar el relato, mi madre meditó unos segundos y luego me preguntó qué plazo tenía para resolver el conflicto.

–*Tres meses* –contesté.

–*¡Qué suerte! ¡Para entonces estaré muerta!* (Vale acotar que goza de la salud de un caballo pura sangre cuidado en el haras de Martínez de Hoz).

Le clavé hasta el fondo mi mirada polaca (herencia de mi viejo), y repliqué:

–Andate al carajo.

Todo el encanto de una novela maternal estaba roto, pero como en vez de enojarse se largó a reír, le dije: *"Te juro que en la próxima nota te escracho".* Se volvió a reír. ¿De qué se habrá reído tanto?

Tuve 200 hermanos

Si es cierto que *la niñez es la patria del hombre,* como afirman los poetas, queda claro por qué me siento una patriota deficiente. Nuestra infancia de clase media transcurrió en un verdadero conventillo de personas: mi vieja coleccionaba gente con la misma devoción con la que otras damas se dedican a la jardinería. Gente que "vivía" con nosotros: recuerdo haber compartido esas épocas con Estribisqui, hijo de un guardabarreras –su padre tomaba mate con alcohol de quemar–: mi vieja lo adoptó en esa confusa categoría en la que nos desenvolvimos todos: algo de hijos, algo de protegidos pero, eso sí, todos a la misma escuela, con cumpleaños igualitarios, idénticas Navidades y una parte proporcional de su afecto.

Dentro de sus ejemplares de colección han quedado en mi memoria *un carpintero peruano* decididamente curda, *una prima descendiente del ghetto de Varsovia, otra prima de San Luis* (provincia natal de mi madre) y, por supuesto, *infinidad de perros.* Cuanto más atorrantes, más amados.

La única diferencia que mi madre establecía entre todos nosotros, era que no hablaba con los perros. O, más exactamente, ellos no le contestaban...

Mi vieja festejaba sólo dos acontecimientos: las Navidades y los cumpleaños. Estas celebraciones fueron siempre tan fantásticas como confusas: en Navidad había un gran pino natural (rigurosamente robado), toneladas de comida y un acordeonista que tocaba, *¡Dios sabrá por qué!,* canciones de la vieja Rusia que mi padre bailaba con la devoción de un cosaco; los cumpleaños habían sido socializados y eran inigualables: títeres fabricados entre todos y esotéricas competencias. Como éramos tantos, nadie estaba seguro de cuándo era *su* cumpleaños, ya que uno servía para varios y la misma torta se apagaba entre hijos y entenados hasta que las velitas quedaban mochas.

Todos estos faustos y anécdotas enmascaraban una pregunta que nadie pudo responder: *¿a quién mamá quería más de todos?* Mi hermana siempre sospechó que a uno de los perros; yo creía que a mi prima del ghetto, y con mi hermano nunca hablé de la cuestión pero supongo que él tenía en mente al carpintero peruano (cosas del Edipo). Tampoco nunca se supo por qué siendo agnóstica y casada con un judío, nos torturó con colegios religiosos donde nos enseñaban, precisamente, cómo personas como ella y mi papá se iban derechito al infierno.

La mascarita extraña y mis novios

Todos heredamos de mamá su amor por los libros. Y todos padecimos, me temo, las consecuencias de su almita dada a la fabulación.

Para cada uno de sus hijos y acerca de un mismo hecho, mi vieja inventaba historias que explicaban lo inexplicable y recreaban lo inexistente. Como la pedagogía le era ajena y de psicología todavía no se hablaba, sus cuentos no eran lo que podríamos llamar óptimos. El que a mí me contaron decía que durante el embarazo se había enfermado de alergia. Que la alergia, con el correr del tiempo se había transformado en asma. Que también durante el embarazo le surgió un tumor. Cargué con ese tumor hasta los quince años, cuando se lo sacaron. Quedaba claro que por mi culpa padecía ataques que culminaban con asmapul, inyecciones, presunción de muerte, y en mis fantasías más de una vez sospeché que en el momento del parto ella expulsó el tumor mientras yo me quedaba para siempre dentro de su panza.

Con mis hermanos también hubo historias: no las conozco bien, pero sí sé que haciendo gala de un cruel humor, que también corre por mis venas, cuando uno se perdía en la playa Bristol y una multitud aplaudía para que llegara la madre, la madre —que era ella— afirmaba tan campante no conocer a ese crío. El crío de marras todavía debe andar explicándolo a su terapeuta.

Siendo ya adolescente quien suscribe, en algún baile de Carnaval aparecía una mascarita extraña cuyo deleite era acercarse a mi noviecito de turno y contarle mis secretos como si fuera mi madre. Por supuesto, *era* mi madre. ¿Cómo culparla, si mi hermana y yo, ya de grandes, cuando nos juntamos nos dedicamos a cultivar el mismo género de broma macabra que tanto ha deleitado a nuestra vieja? Después de todo, *"sólo el ejercicio del equívoco puede evitar que un ser inteligente muera de aburrimiento".*

Mira cómo me estoy por morir

Así como yo me he "curado" de dos infartos y un cáncer, mi vieja ha sobrevivido a un mal de Parkinson, varios cánceres de esófago, intestino, pulmón y recto, y ¡lo que es decididamente grandioso!, ha sobrevivido además dos veces a la misma muerte.

Mucho antes de que a García Márquez se le ocurriera "Crónica de una muerte anunciada", mi madre se le anticipó proclamando que no viviría ni un día más después de la muerte de mi padre, a quien amó como los primeros cristianos al Mesías. Murió mi padre, y allí está ella todavía. Pero aún nos faltaba la segunda: desde que tengo memoria, y por una suerte de decreto emanado de su propia realeza, se nos había comunicado que *en el cumpleaños número 75 su alma huiría de este mundo,* tan fatalmente como que el sol saldrá mañana.

Fuimos, por decirlo de algún modo, *huérfanos a plazo fijo* hasta que llegó el día atroz de su 75° onomástico. Desde Córdoba, apenas amanecida, me lancé sobre un teléfono para chequear su salud, mientras me rondaban horribles pájaros negros. Del otro lado del tubo su voz, fresca como un pimpollo y macabramente risueña, me informó que *"por haber mirado mal sus documentos, recién descubría ¡que cumplía 76!"*.

¡Oh, maestra de vida! ¡Ni en mis mejores sueños hipocondríacos se me hubiera ocurrido una treta tan exquisita! De cualquier forma, aunque la muerte pareciera haberse olvidado de ella, ella no se ha olvidado de la muerte. Sufre de una extraña dolencia ubicada en la lengua, y periódicamente me da instrucciones sobre qué hacer con sus restos mortales. Es capaz de cortar el almuerzo más alegre diciendo:

No te olvides de cremarme...

Sólo sé que junto a esta nota le juré que, si me seguía molestando, la pondré en una bolsa para que se la lleve Manliba. *"No nos une el espanto sino el humor / ¿será por eso que la quiero yo?"*

Decálogo de vida (según mi madre)

● *El mejor de los hombres no vale ni una mala palabra de una mujer. Salvo tu padre y tu hermano.*

 ● *La psicología es una impudicia. Nadie tiene por qué contar sus intimidades a un extraño.*

 ● *Tu padre fue un santo. Nunca me dejó saber que era cornuda.*

 ● *Tus hermanos sí que son buenos, pero a vos te quiero más.*

 ● *Envejecer es un asco.*

 ● *El que no estudia no es nadie.*

 ● *Hacer el amor es bueno para la salud.*

 ● *La pornografía es ginecológica.*

 ● *A los chicos no hay que pegarles, pero un buen zapatillazo los pone en vereda.*

 ● *Tenés el tesón de tu padre, pero no sé a quién saliste tan loca...*

11. LA NUEVA MUJER DE NUESTRO VIEJO AMIGO

Eran la parejita más estable de los alrededores. Patinados por el digno gris de la convivencia, habían eliminado toda pelea a fuer de suprimir la más mínima pasión. Uno los asimilaba a Thompson y Williams, a Tom y Jerry, a Batman y Robin y hasta a Tarzán y Chita: nos daban la tranquilidad de un espejo bien amaestrado. Un buen día, él dio tres hurras y se piró con otra. Por supuesto, no nos consultó; y encima, esta noche se nos viene con la nueva. ¿Qué hacemos?

De más está decir que estamos a favor de la ley de divorcio, que somos grandulones, progresistas y aceptamos que *todo prójimo* tiene derecho a rehacer su vida.

Pero dentro de ese "todo", ¿estará incluido el desacatado de nuestro amigo? El *prójimo* es abstracto, amable, cómodo y distante; y este nabo es concreto, incómodo y nos pisa el borde de la conciencia tomándole examen a la coherencia de nuestras convicciones.

Resumamos: ¿desde cuándo esta lagartija (hasta ayer embalsamada) tiene derecho a portación de corazón, hormonas y romanticismo?

¿Y esta guachita que nos traerá esta noche?... ¿Cómo haremos para digerirla..., máxime si pensamos comerla cruda?

Pero somos amigos, así que tomaremos una damajuana de Uvasal. Aunque bien sabemos que nosotras no nos salvaremos de un ataque de hígado, ni ella de confraternizar con caníbales. ¡Buen provecho!

Ella viene a cenar

Nuestro viejo amigo ha inducido a esta cena de presentación, con un tono mezcla de desafío con pedido de escupidera. Y la ralea de las casadas nos agrupamos silenciosamente en algo que podría ser caratulado como *"asociación ilícita".*

Es que nosotras tenemos un problema: el matrimonio llena nuestros traseros de una celulitis que, a la larga o a la corta, se nos va al cerebro. Irremediablemente pensamos en términos "prácticos", medimos el debe y el haber, y en última instancia no nos gusta un cuerno ese inocultable aire a felicidad que irradia el susodicho. Los maridos son, entre otras cosas, seres muy amorfos, con pocas convicciones frente a la vida. No se han resignado del todo, por ejemplo, a que una relación "estable" como la que tienen traiga aparejado ese gustito a moho entre las sábanas y ese soplo infatigable que nos llena el corazón de un polvillo amarillento.

Qué sé yo... *¿Y si los tientan?* ¿Acaso no es provocativo y disolvente ese tufillo a vida que irradia el nabo de nuestro amigo? Después de todo, como ya lo dijeran nuestras viejas y lo cantara Serrat, más vale cuidarse de las malas compañías.

En fin, que hemos aceptado la cena y le ha tocado a Miriam prestar su casa y organizar la comida. Las demás hacemos de coro griego. Notablemente, nos da un ataque de revisionismo canyengue y entramos a hacer memoria sobre las virtudes de Martha, la ex mujer. Es curioso, pero mientras estuvieron casados, algunas de nosotras opinábamos que era muy mugrienta; y otras que era decididamente estúpida. Pero ahora que esperamos, vino en mano, que aparezca su sucesora, recordamos lo fantástica que era Martha... ¡Ay, esta celulitis cerebelo raquídea!

Asado con sacada de cuero

A las diez en punto suena el timbre. *Es él, con "ella".* Ella tiene diez años menos que Martha y, lo que es más importante, *diez años menos que nosotras.* El gallinero de los maridos registra un perceptible aleteo. Escala seis, diría yo. Las fuerzas del bien, que venimos a ser las esposas, lo registramos como un derechazo al hígado. El horizonte para la nueva, luce borroso con posibilidades de desmejorarse con el transcurrir de la noche. Nuestro amigo está más nervioso que Adán después de la manzana, y ella tiene una sonrisa de nuca a nuca, a la que se aferra con esfuerzo. Calculo que le van a quedar los músculos del cuello hechos pomada.

Lucy es debidamente presentada. Nos besa a todos y tiene el gusto *de no pedir suero antiofídico.* Las arpías, sentadas sobre nuestros redondos traseros, lanzamos la primera ofensiva. Miriam se dirige a ella, llamándola *"Martha".* Se disculpa y agrava la situación diciendo:
Estábamos tan acostumbrados...

Lucy ríe como si la estuvieran estrangulando. Es perceptiva... y eso mismo es lo que aprovechamos.

Con la mayor de las inocencias, otra la felicita por su vestido y le pregunta si lo cosió ella.

Lucy declara que no sabe coser...

Hacemos un silencio para que quede bien en claro: *"No sabe coser"*. ¿Se escuchó? ¿Habrá resonado cual las trompetas del Apocalipsis en las orejas de nuestros esposos? NO SABE COSER... (poco importa ahora que nosotras tampoco sepamos).

Lucy declara que toma vino blanco. Nosotras le aclaramos que Martha no tomaba. Dice que está terminando su carrera, algo postergada, y nosotros le contamos que Martha sólo se había dedicado a su hogar. De algún modo nos ingeniamos para sugerir que entre estudiar y hacer la calle hay sólo un paso...

Y ya que estamos, ¿pasamos a la mesa?

Noche de vino y arañas

No hace falta que transcurra mucho tiempo. A la altura del primer chorizo es evidente para todos que *Lucy* es más linda, más inteligente y más piola que la pavotona de Martha.

Nuestro corazón de entrenadas arpías está en un tris de ceder frente a su encanto..., si no fuera porque nuestros esposos ya han cedido... Para colmo el vino hace sentir sus primeros efectos y se han puesto traslúcidos. Su razonamiento de gusanos babosos dice más o menos así: *"Si el opa de nuestro viejo amigo se ha conseguido una mina semejante, ¿por qué no nosotros?"*. Una puede sentir el esfuerzo que hacen para entrar la panza, esconder la papada y dar su mejor perfil. Intentan ponerse ingeniosos pero es inútil: cualquier varón casado ha perdido su ingenio hace tiempo; a manos nuestras, por supuesto.

En síntesis, carentes de ingenio pero repletos de malos pensamientos, suplen la cuestión con bastante grosería. ¡Pobre *Lucy*! Ahora le toca el asedio de los maridos. Habrá uno que insista en llenarle la copa, otro derribará vasos con tal de prenderle un pucho, y un tercero al que no alcanzo a ver, pero imagino, le rozará la pierna por debajo del mantel.

Rápida como es, *Lucy* comprende que cada una de esas galanterías es un boleto al cadalso. El odio de las casadas se abroquela, y es bastante evidente que ahora a ella se le han atravesado las mollejas. Deja de comer y sólo sigue fumando... Para colmo de males, quema el mantel de Miriam, que ni se molesta en decirle: "No es nada". Desayuno para mañana: marido de una al espiedo. Pero aún la noche es larga...

El día siguiente

En cuanto una repasa la noche anterior, hasta es posible que sintamos remordimientos, si no fuera que una casada no se puede permitir tal lujo.

La cena, tal cual la habíamos planeado, terminó en una debacle. *Lucy* depuso su sonrisa porque tuvo que vomitar; y como comprenderán, las esposas no hacen eso. Nuestro viejo amigo se tragó las ganas de romperle el alma a más de uno porque, como también comprenderán, un viejo amigo tampoco hace eso. Nosotras cargamos con nuestros maridos bastante en curda (porque ellos sí hacen eso) y la atroz sensación de que *Lucy* era la mejor de todas. ¿Y quién garantiza a nuestros corazones adiposos que no habrá otra *Lucy* para nuestro amado marido? Supriman lo de amado, es más veraz escribir "cómodo".

Sin embargo, *Lucy* ya está instalada en nuestras vidas. Habrá que desarmar nuestras alianzas con la ex y recomponerlas con la actual. Según transcurra el tiempo, *Lucy* será una de las nuestras. Le habrá crecido el trasero y se le habrá encogido el corazón. Se volverá tan gris la pobrecilla, que no alterará a nuestros esposos; y mucho menos al de ella. Le perdonaremos que sea más joven (sobre todo porque no lo parecerá) y en una secreta ceremonia la introduciremos en la logia de las casadas.

En verdad, acá no ha pasado nada. Las turbias aguas del espejo se aquietan y allí nos reflejamos todos. Como en un gran retrato sepia posará la familia, donde cada uno está con su cada cual, inmovilizados por el látigo de la costumbre y el sano rigor de la sociedad contra cualquier forma de la dicha.

La otra posibilidad es que *Lucy* no dure; pero tampoco así nos sorprenderán desarmadas, porque *"si éste es tan inestable, no tiene derecho a presentarnos una nueva mujer cada tres meses"*. Una de dos: o se casa, o se decide a ser feliz; pero para esto último que no cuente con nosotros, que somos sus mejores amigos.

12. LOS HIJOS DE SEPARADOS CUANDO PAPA (MAMA) TIENE NOVIA (NOVIO)

Según se sabe, la gente que se casa para siempre suele tener la costumbre de separarse. Esto es engorroso, pero lo que embarra aun más la cuestión es volverse a casar. Habiendo niños, el entremezcle de las criaturas con la nueva "mamá" o "papá" se parece a un tute cabrero ideado por Buñuel. Bandas y bandos, chantajes y espionajes, negociaciones y chusmetajes, todas estas variantes caben. Vaya como palabra de aliento, basada en aquella celebérrima idiotez popular. "Mal de muchos..."

Situemos antes que nada a los personajes: papá y mamá ya hace rato que se han separado y papá saca a los niñitos los sábados y domingos a peseos, perigrinos. Durante un tiempo ven cinco mil veces una de Walt Disney, y como los chicos se la saben de memoria aprovechan el tiempo para hacer pis cada dos segundos e intoxicarse con chocolate.

Habrá sin duda excursiones al zoológico, donde las criaturas se empeñarán en ser devoradas por el león o pisoteadas por el plácido elefante; todo esto mientras siguen manducando toneladas de praliné y pochoclo. Tampoco se descarta algún teatro infantil, lugar donde las bestezuelas sacarán de quicio a los payasos o interrumpirán la obra con cometarios azás irónicos para sus cortos años.

Pero mal que mal se establece una rutina de manos engrudadas, empachos a rolete y aburrimiento mortal. De más está decir que se excluye de esos periplos todo ese diálogo que según los pedagogos es tan beneficioso. En la práctica, si para los padres *cama adentro* es difícil, para los de *fin de semana* se vuelve un imposible.

En este amable tren están las cosas cuando un buen día papá aparece con una camisa de jean, un par de zapatillas blancas y un inocultable aspecto de estar volviendo a la adolescencia...

Papá tiene novia

Para niños duchos (los hijos de separados son diplomados en estas cuestiones) papá esta prenunciando así que algo de bueno con forma de mujer ha irrumpido en su vida. Las pequeñas bestezuelas se relamen. Con el mayor candor harán resaltar que las pilchas de papá son de "péndex", cosa de ir arruinándole la alegría en sus primeros albores. Luego se limitan a esperar lo que infaltablemente ocurrirá el próximo sábado: *papá les presentará a "Cecilia, una amiga"*.

¡Pobre Cecilia y pobre viejo! Es segurola que la pobre víctima se ha preparado para la oportunidad, con el esmero de Favaloro para un *by pass*. Tal vez hasta se haya jugado con algún regalito. Estará pulcra en su exterior y tierna en su interior. Va a conocer a los hijos de "él", porque aunque sea presentada como amiga... ya se sabe (¿y quiénes son los primeros en saberlo..? Pues, las criaturitas del Señor).

De allí en más los fines de semana serán una fiesta, ¡qué bah!, *un picnic.* Los niños han encontrado una fuente de alegría muy superior a las bobalicadas de Walt Disney, la ferocidad de los leones y un batallón de payasos del circo de Moscú.

Rápidamente arman una estrategia a cuatro flancos.

● *La primera consiste en que Cecilia se sienta tan espantosamente mal como para engullir las flores venenosas del Jardín Botánico.*

● *La segunda se centra en explotar el lado flaco de papá.*

● *La tercera es jorobar a su santa madre.*

● *La cuarta, como queda en claro, apunta a pasarla muy, pero muy bien, ellos mismos.*

Veamos ahora cómo montar su ofensiva y saludemos su precoz genialidad.

¡Papito para el loro!

Con Cecilia, bastará decirle con sus vocecitas más aterciopeladas: *"¡Qué lindo colgante tenés, es igualito a uno que papá le regaló a mamá!"*

Si Cecilia está enamorada (y lo está, porque aun contando con la natural locura de las mujeres ninguna se mete en ese mambo sin querer mucho al fulano) acusará el golpe cual una cuchillada en el ombligo. Con una sola frase los niñitos se las han ingeniado para recordar cuánto amaba papá a mamá, y con dardo de seda han señalado que ambas se parecen (al menos en el gusto para elegir colgantes).

Nada de esto hace a la felicidad de un alma enamorada, pero si la pobre sueña que eso es todo, está perdida. Muy pronto le preguntarán si ella "es amiga de Cristina. *Porque como ella es también amiga de papá...*" Una pausa y agregarán con un toque fenicio, a toda orquesta:

"Era una que siempre nos traía figuritas." Que papá explique después durante quince años quién era Cristina y de paso cañazo, Cecilia queda avisada sobre la conveniencia de regalarles figuritas.

En cuanto al chantaje a papá, es cosa facilísima. Allí está, enamorado, queriendo hacer facha de galán. Es decir, totalmente entregado, porque en esta situación le es imposible imponer la más mínima disciplina. No podrá decir, por ejemplo: *"¡Carajo, si empujás otra vez a esa viejita te reviento!"* Con el tono más relamido deberá limitarse a exclamar: *"Nene, las ancianas no se rompen."* También tendrá que hacer pinta de generoso y he allí las posibilidades de pasar del chocolate por tolenadas a un triciclo, un karting o lo que fuera.

Como ya se ha dicho, mamá no quedará al margen de esta verdadera masacre de sentimentos, pues con lujo de detalles correrán a batir *todo lo hermosa, buena y joven que es Cecilia,* así ella se siente horrible, malísima y geronte. ¿Y dónde está la diversión? Pues habrá que preguntarles a estos pequeños hijos de puta, porque a cualquier persona medianamente decente se le escapa. Claro que los niños no son ni personas ni, mucho menos, decentes.

Mamá tiene novio

Todo lo anteriormente narrado es también perfectamente aplicable a mamá si ésta es la que se enamora. Pero si de mujer hablamos, cuando mamá se casa otra vez hay que sumarle lo suyo. De más está decir que las características se multiplican según el personaje. Hay mujeres tan tilingas que instan a que los críos llamen "papá" al fulano, y tipos tan oligos como para aceptarlo.

Los niñitos, por su parte, pueden ser tiernos infantes o bravíos grandulones, y el fulano, un buen tipo o un hijo de perra. Sin embargo, en todos los casos hay un denominador común. Veamos. Las mujeres suelen pensar: *"Los chicos querían que me divorciara. Así que ahora están mejor que antes".* Esta idea esconde otro supuesto igualmente falaz: *"Dado que yo no quiero más a su padre, ellos tampoco lo quieren."* Y terminan en absoluto delirio: *"Como yo quiero a Fulano, ellos también lo adoran."* Perrísimas mentiras todas y cada una de estas afirmaciones.

En primer término, no está probado que ningún chico quiera que sus padres se divorcien. En segundo lugar "sí" está probado que los chicos quieren al viejo con absoluta independiencia de los deseos de asesinarlo que tenga la vieja; y es una verdad evidente que no tienen por qué querer, sino todo lo contrario, a ese fulano que se les instala en la vida con el precario título de "esposo de mamá". De hecho, no lo quieren (cualquier excepción entra en la categoría del milagro).

El *cómo* se desarrollará la batalla lo marca el fulano. Hay quien desea (candidato de oro al fracaso) *"hacer de padre",* pero la suerte le depara una muerte a breve plazo. ¡Pobrecito de él cuando intente dictar normas, edictos, consejos, discursos y cátedras! Rápidos cual saeta los niños lo agarrarán para el churrete, le inventarán sobrenombres e idearán códigos de patadas bajo la mesa que los harán estallar en carcajadas en la mitad del sermón más inspirado. Digámoslo así: no existe niño en este mundo que se crea las idioteces que le dicen los adutos, pero si ese adulto además se acuesta con mamá... ¡Dios los guarde!

Peor es aun cuando el incauto quiere pasar a los hechos e imponer horas de llegada, fiscalizar amigos y entrometerse en los estudios... Sólo consegirá el más puro y recalcitrante odio de los chicos; y a mi buen entender, es más fácil sobrevivir a una picadura de yarará que a esos enconos infantiles. Por supuesto que en esos casos, correrán hacia mamá... y mamá se sentirá como Tupac Amaru.

Claro que antes del descuartizamiento, ella recurrirá a todas sus artes aplicadas a esa mediación imposible. A la larga o a la corta, una de las partes deberá batirse en retirada. Y como mamá es la única que no puede irse, y los niños "no quieren", el que salta es el fulano, que tendrá que engendrar sus propios hijos para darse el gusto de mandar a alguien.

En cuanto a aquellos que se resisten explícitamente a ser padres, no mejoran la cuestión e igualmente mueren, pero en cuotas: inmediatamente los chicos los transformarán en cómplices y mamá se encontrará un buen día que en vez de un nuevo esposo ha terminado adoptando un nuevo crío. Y a veces ni un corazón materno da para tanto.

Parecería que el colofón de esta nota podría suscribirlo cualquier monseñor reaccionario: *"Que cada cual se quede con su cada quien, y todos juntos nos vamos al cielo."* Prefiero, en cambio, cerrarla con una cita de Freud, cuando con ironía ejemplar escribió: *"La felicidad del hombre no está contemplada en los planes de la Creación"* (y la de la mujer tampoco, maestro).

¡Fueeeerte ese llanto!

13. ¡HAY "MASAJISTAS" EN MI EDIFICIO!

Primero cundió por los pasillos un dulzón aroma a almizcle, orquídeas negras y sexo. Simultáneamente, algunos varones mayorcitos parecieron rejuvenecer décadas, y algunas mujeres envejecer quinquenios. Algo raro ocurría en el consorcio, en el que los únicos escándalos registrados habían procedido de mis hijos cuando eran niños, y siempre, más de corte policial que erótico. Lentamente, las mujeres confirmamos lo que los hombres habían descubierto por el olfato...

Sospecho que fui una de las últimas en caer del catre.

El primer día en que compartí el ascensor con las chicas, noté sus minifaldas negras, los tacos aguja, los breves tops de lentejuelas, y sólo atiné a pensar: *¡Qué rara que viene la moda!* Y una vez más me lamenté, a mí me quedaría como el trasero.

Ese día comenté a la hora de almorzar:

—*Tenemos vecinas nuevas.*

Los varones se relojearon con la complicidad de Drácula con un transfusor de sangre. Mi hija levantó la vista de su plato con una mirada que traducida quería decir: "Pobre vieja, siempre tan estúpida". Como en realidad los varones de la casa *viven en complicidad,* y mi hija piensa así de mí desde que abrió los ojos a este mundo, no encontré nada raro en la familia.

Sin embargo, aun en mis tinieblas comencé a percibir síntomas extraños: de pronto, las compras, que antes causaban peleas inacabables, se volvieron un frenético deporte entre los varones. De un modo asaz sospechoso se ofrecían cada cinco minutos para buscar cigarrillos. Fueron capaces de ir y venir trayendo un kilo de pan, pero en bolsitas de cien gramos. Algo infinitamente más poderoso que la

61

solidaridad hogareña los empujaba ascensor abajo y ascensor arriba a cada instante.

Allende las puertas del departamento, también se percibía un revoloteo de escándalo. Cada dos vecinos, se formaba una asamblea... Algo así como un estado deliberativo permanente. ¡Qué raro –volví a mascullar– algo debe estar pasando!

Y seguí papando moscas.

Portera de noche

Un buen día comenzaron los timbrazos en el portero eléctrico. A toda hora y sin descanso, voces masculinas interrumpían mi vida con extrañas frases, del tipo:

–¿Es aquí...?
–¿Puedo pasar...?
–¿Cómo se sube?

Hasta las había más imperiosas:

–Abrime, che...

Los diálogos no tenían la más mínima coherencia. Si les contestaba: *"¿Quién habla?"*, se oía un estertor de pánico abajo, y después el silencio. Si les decía *"¿Qué busca?"*, la reacción era similar.

Después de una semana de tal asedio, un ingenuo me aclaró tímidamente:

–Vengo por el aviso del "rubro 72"...

Aterricé violentamente. El *"rubro 72"*, lo sabe cualquier cordobés que lea nuestro matutino local, se especializa en *clasificados eróticos.* Y allí, seguramente, habían aparecido avisos consignando nuestro mismo número de piso y un departamento cuya letra sonaba muy cercana a la nuestra en el abecedario. Y, al parecer, mucho más cercana en la botonera del portero eléctrico.

Si esta nota debe ser verdadera, tengo que reconocer que lancé una puteada. No sé muy bien si por la sorpresa, o de pensar que por ahí cerca señoritas fragantes y jóvenes se untaban el ombligo con benjuí, mientras la que suscribe cocinaba con una mano, trataba de leer el diario de reojo y planchaba todo simultáneamente y con una toalla atada en la cabeza para contribuir a liquidar mi autoestima.

De cualquier forma el misterio estaba develado. Con más propiedad, su comienzo, porque no debe existir nada más intenso y morboso que la curiosidad que siente una señora que *no es masajista* por señoritas que *sí lo son.* Máxime si ellas viven en el mismísimo edificio de una y alborotan el avispero del varón, también de una.

A partir de ese día, arteramente, intenté hacerme amiga de alguna; pero las masajistas no tenían el menor interés en mi amistad. Apenas me devolvían el saludo con un movimiento de cabeza. Desconfiadas como gatos de porcelana, iban y venían parapetadas detrás de sus pestañas con rimel y el perfume que sacaba de quicio hasta a los moribundos.

Agotada la instancia del saludo, no pude encontrar ninguna más. *Las fórmulas tradicionales de la buena vecindad me parecían impropias.* ¿Cómo golpearles la puerta a esas discípulas de Venus para pedir, u ofrecer, media taza de azúcar, un poquito de aceite o las cien pavadas domésticas que necesitamos los mortales?

Tradición, familia y odio

Hasta el episodio que nos ocupa, siempre había creído que el sexo es para quien lo trabaja, y siempre adherí a la Constitución, cuando dice que las acciones que los hombres realizan en la cama sólo le incumben a Dios. Y como soy agnóstica, y mujer, el tema me importaba aún menos.

Sin embargo, ante el absoluto desdén de las masajistas, el odio ganó mi corazón. Para justificarme, inventé que nadie puede molestarme todo el día por el portero y que es realmente desagradable cruzarse por los pasillos con manadas de varones en celo.

De cualquier forma, creo que el detonante de mi ira fue de tipo económico.

Veamos. Una vez transformada en bruja, investigué y descubrí... ¡que se habían instalado *dos casas de masajes*! Una de ellas estaba administrada por un gigoló y la otra (datos sin confirmar) por una dama mayor. Pero lo que me dejó absolutamente trastornada es lo que cobran por cliente.

Saqué cuentas y descubrí que para ganar la misma cifra que ellas sacan en un mes, debería trabajar *¡diez años seguidos en "Humor"!* Me levanté y pateé la máquina. Maldije diez veces la vejez que me aqueja, abjuré de mi profesión setenta veces siete, y cuando intenté consolarme pensando que *yo soy decente,* me dio un ataque de vómito negro.

Finalmente me había transformado en una arpía. Empecé a controlar las entradas y salidas, y caí en tal ataque de moralidad que Nancy Reagan me hubiera pedido un autógrafo. Por primera vez formé filas detrás del "vox populi" y de paso me volví un poco paranoica. Ahora creo que los picaportes de todo el edificio contagian el SIDA y hasta fantaseo que alguna noche un marinero ruso, muy necesitado, va a llamar a mi puerta y me va a violar sin preguntar el precio. Sobre todo eso... Inútil es que mi bienamado me aclare con la mayor de las sornas que en esta ciudad mediterránea nunca se ha visto un marinero ruso.

Claro, él porque no atiende el portero, le gustan las chicas y no sabe que con las cosas que están ocurriendo en este mundo, en

63

cualquier momento aparecen los rusos. *Ojalá que ese día yo esté perfumada.*

Pero, en fin, la situación está así y no hay visos de cambio. Además, ¿quién me puede asegurar que si se van las masajistas, no lleguen los travestis?

Masajeo telefónico

De todos modos, continué pensando en formas de vengarme: hacer subir a los clientes y contratar a un negro para que los violara en el baño, panfletear en sus domicilios avisándoles a sus esposas, y delirios varios. Pero como siempre me ocurre, terminé adhiriendo a mis propias consignas: *esta vida no es más que una broma incomprensible,* de la cual una puede reírse o llorar hasta morir; y como morirme me voy a morir igual, por el camino siempre elijo el atajo de la risa.

Inventé así un chiste personal que nadie me festeja en casa porque, para eso sí, los hombres son muy puritanos (tomá, ya pasé el jingle feminista). Simplemente, cuando suena el portero pongo mi mejor voz de flor carnívora y mantengo diálogos como éste, por ejemplo:

Cliente: *Hola... ¿puedo pasar?*

Yo: *Encantada, pero antes... ¿usted conoce mis especialidades?*

Cliente (con carraspeo y nervios): *Mmmm..., sí, lo imagino...*

Yo: *No, no se trata de que lo imagine, tiene que saberlo bien, porque son distintos precios...*

Cliente: *Eh..., bueno, pero lo charlamos... en el departamento...*

Yo: *No, no, aclaremos desde ya...*

Resumiendo (porque puedo seguir así una hora), la remato diciendo:

Yo: *Vea, para que sepa, tengo distintas especialidades: hago periodismo escrito, radial, guiones y reportajes, no sé, usted dirá, cada cosa tiene su precio...*

Telón. Se escucha que alguien se desploma allá abajo. Y se escucha mejor aún la bronca que se desata en casa...

Juzguen ustedes: si no puedo ser masajista, si tengo que atender a los plomazos equivocados, si todavía los marineros rusos brillan por su ausencia, si los ojos de mi amado tienden a bizquear cuando se cruzan con algunas de las chicas, si vivo en la incertidumbre de que en cualquier momento vuelva de comprar cigarrillos todo masajeado, ¿acaso no puedo reservarme el derecho de reírme un cachito de vez en cuando?

¿Cómo dice? ¿Que *las mujeres decentes* no hacen eso? Lamento perturbar su candor, pero no hay mujeres decentes: sólo habemos gilas y ancianitas que no cobramos.

14. ¡AUXILIO, HOMBRES COCINANDO!

Hay cosas de las que sólo entienden las mujeres. No me refiero a los altos designios de la filosofía sino a cuestiones más pequeñas: cómo es un dolor de ovarios o cierto tipo de cansancio desesperado. Precisamente a este voy a referirme. El cansancio que ataca cuando, además del ajetreo normal, la heladera revienta, el televisor tiene un soponcio y finalmente una grita "¡socorro!" al varón que tiene más a mano. Claro que esperar socorro de un varón forma parte también de la inefable sonsera femenina.

Erase en mitad del ardiente verano. En las líneas anteriores faltó agregar que, en el rubro electrodomésticos, también habían fenecido el lavarropas, la licuadora y el foquito del living (el timbre no anduvo jamás, así que no cuenta). No me miren así: ¿es que acaso nunca les pasó una maroma parecida? La famosa rebelión de los objetos del Popol-Vuh se había reeditado en nuestro hogar.

Pero, en época de catástrofe, lo anterior era lo de menos. Lo de "más" era la señora que trabaja en casa había partido de vacaciones dejando a estos cuatro marranos (la familia) librados a su propia suerte. Y, por ende, el mujererío (mi hija y yo) trabajaba tipo facenda, de 10 a 18 horas, mientras el varonaje (hijo y marido) rascábase placenteramente las amígdalas. (Ellos estaban de vacaciones y nosotras no).

Era obvio: "alguien" debía hacer el almuerzo. Nos juntamos con mi hija a deliberar de hombre a hombre (¡perdón, de mujer a mujer!) y ella, de natural conciliadora, propuso tirar a los varones por la ventana. ¡Esa criatura no se va a casar nunca!

Propuesta denegada. Con el laburo que me dio hacer el hijo y conseguir un marido, ¡minga de tirarlos por la ventana! Puse a la precoz feminista en sus casillas, y decidí usar los viejos trucos de la seducción.

Varon, pa'fallarte mucho

Así fue cómo, mientras pelaba pepinos con la mano izquierda, escribía con la derecha, leía de reojo los diarios y tiraba patadones terapéuticos al lavarropas, me largué a llorar ante los ojos "desconcertados" de mi tierno esposo. Para completar la imagen desgarradora, pretendía abrazarme a la heladera (eso siempre produce mucho efecto), pero como la desgraciadita había sido llevada por el service, me fui al piso. Eso produjo un efecto aún peor (para mi trasero).

Mi bienamado alzóme despatarrada, moqueante y aún abrazada al repasador y con la mayor dulzura me inquirió: ¿Qué carajo te pasa?

Como queda claro, para un varón no pasaba "nada".

Me sequé la nariz con el pepino, eché sal en el lavarropas, piqué el repasador adentro de la ensalada y, con didáctica paciencia, le expliqué: ¡NO DOY MAS! (en verdad, me parece que no fui "tan" didáctica; más aún, me parece recordar que le zampé un sartenazo). Recién ahí aterrizó y con la mayor galanura *se ofreció a cocinar mientras durara la emergencia.*

"¿Viste?" –le expliqué canchera después a mi hija– *"la cuestión es persuadirlos, no tirarlos por la ventana".* Me apresuré. Creo que era cuestión de *ahorcarlos,* nomás.

En su primer día como voluntario, el sujeto, cruel exponente de la cultura machista, levantóse brioso. Por su contracción al deber, si no San Martín, parecía al menos su caballo. Con la alegría de un bombero voluntario ante su primer incendio, cazó la bolsa de las compras y esperó órdenes. Estas fueron: "menú de hoy, bifes con tomates". Para facilitarle la tarea, le hice una amorosa listita. Protestó humilladísimo, pero partió a cumplir con la Patria.

Soldado que se equivoca, misión perdida

El susodicho salió fastidiado, no por la tarea en sí misma, sino por la listita previa. ¿Para qué había leído a Bacon, Levy-Strauss, Hegel anche todos los filósofos antiguos? Sí, ¿para qué?, me pregunté yo misma con el correr del tiempo, mientras me acordaba de mi abuela (según la cual, la lectura pasma el seso). La cuestión es que la lista la tiró en el ascensor y al rato cayó, con... ¡un foco de luz!

"¿Y los tomates?", pregunté mientras comenzaba a alarmarme.

"¿Pero es que acaso no falta luz en el living?", replicó con cara de *"quién entiende a las mujeres"*. Con suavidad, con mucha suavidad, le expliqué que la luz faltaba por la noche, que era mediodía, y que los foquitos de luz son altamente indigestos en ensalada. Salió otra vez refunfuñando, demoró una hora veinte (la verdulería queda al lado) pero traía en la mano dos tomates anémicos por la mitad y podridos del otro lado. Antes de que mi voz resonara en las alturas y descendiera en forma de puteada, sacó del bolsillo cuatro tarjetas de plástico y varios autoadhesivos que, según le explicó el señor que se los acababa de vender, eran una cobertura total contra los infartos familiares.

Fue un verdadero milagro que no los estrenáramos allí mismo, pues sentí la apoplejía trepando por mis rodillas. No caí muerta sólo por no darle esa satisfacción a mi hija que, con tal de disfrutar del episodio, hasta había perdido el hambre. Conté hasta doscientos cincuenta mil en jeringonza, y con mi voz más dulce, le sugerí el lugar donde pegar los autoadhesivos y lo empujé otra vez a comprar bifes.

A las 13.30 (cuarenta minutos después) apareció de nuevo, esta vez sí con cara desconcertada:

—Perdón, querida, ¿bifes de nalga o de cuadril?

Todo estaba perdido. Razón tenía mi abuela: la lectura pasma el seso. La familia almorzó un sandwich, y a otra cosa.

Otra "cosa"

Descartado por inútil para todo servicio el primer voluntario, debimos recurrir al de repuesto: *mi amado hijo.* Para persuadirlo, usamos una técnica combinada; es decir que mientras yo lloraba a los pies de su cama (siempre está en la catrera) anunciándole que seguro me moría de cáncer, su hermana lo amenazó con descuartizarlo con una hojita de afeitar.

Nunca sabremos qué lo movilizó, pero lo cierto fue que al día siguiente, el nuevo recluta partía animoso a hacer las compras. Dejando en claro su capacidad de iniciativa frente al desconcierto de las generaciones más venerables, desde la puerta nos pronosticó el menú: "Hoy se come carne con salsa de choclo". El ánimo de la familia quedó en alto y los estómagos, expectantes. Sólo yo, formada en la vieja escuela de desconfiar de los varones, masculló para mis adentros: *"¿Desde cuándo?, si éste en su vida ha entrado en la cocina"...* Sin embargo, también mis lecturas me han enseñado que jamás hay que desalentar a los hijos, así que alcé una plegaria a Blanca Cotta y me sumergí en el trabajo.

El resto de la mañana fue un ir y venir de ojotas; bajó unas seis mil veces a buscar cosas que se iba olvidando, y al promediar el mediodía, ya había gastado lo que yo en cinco almuerzos. Al mismo tiempo, tal vez por alguna precoz lectura de Sarmiento, nuestro héroe se consideraba autodidacta. Vale decir que cualquier intento femenino por fiscalizar sus alquimias gastronómicas, era repelido con un feroz: *¡No jodan!* (Disculpen ustedes, pero la familia es visceralmente malhablada.)

Por lo demás, y como las damas "realmente" debíamos trabajar, no insistimos hasta que llegó la hora señalada y el maître, con el orgullo de un padre primerizo, puso en la mesa sus logros.

Me niego a una descripción porque soy muy sensible de estómago. Baste decir que al papastro le dio un súbito ataque de astenia aguda, a su hermana le brillaba la hojita de afeitar en las pupilas... y que esta Madre *se jugó, lo probó todo ¡y sobrevivió para contarlo, ánima bendita!*

Hora de balance

De los episodios anteriores, algunas cosas quedaron en claro:

a) O cocinar es por lo menos tan difícil como conducir un auto, o los hombres son muy tarados.

b) Los hombres "son" muy tarados. Opinión de mi hija.

c) El varón es el único animal de la creación que no puede distinguir lo maduro de lo podrido. ("¿Viste que son nomás?")

d) Un hombre puede llegar a usar una tapa de cacerola, en lugar de un colador. (Los he visto)

e) Sólo ellos se las ingenian para ensuciar catorce cacerolas en una cocina donde hay sólo cinco.

f) Por algún dilema metafísico, dejan las cáscaras sobre la mesa y ponen lo picado en el suelo.

g) Se queman con "aceite" cuando hierven agua.

h) Se enfurecen cuando encuentran harina en el frasco de la sal, sin percibir que la sal está en el de la harina. (Obvio)

i) Se cortan un dedo con la plancha de los bifes.

j) Rompen los huevos con cáscara y todo en la tortilla.

k) Rompen los ídem, a secas.

Quizá, para evitar tanto fandango sólo haya que pedirles aquellas cosas que saben hacer bien... Claro que, con este razonamiento, desde hace cuatro mil años, las mujeres, como el Club de Leones, servimos.

15. COMO ABRIR UNA CARTA DE MUJER (Dirigida al marido de una)

Quedarse con un vuelto, escuchar una comunicación ligada, abrir una carta ajena... son algunas de las cosas que nos ufanamos de "no hacer jamás". ¿Será cierto tanto cacareo o tal vez, como dice el refrán español, cada cual se ufana de lo que no tiene? Personalmente, adhiero fervorosamente a Oscar Wilde: "Se puede resistir todo, menos la tentación". Si usted es de los que no se tientan, saltee esta nota. Me entiendo mejor con los pillos que con los hipócritas.

Hay algunas verdades que los argentinos aprendemos al nacer, por la sola influencia del aire y uno que otro empujoncito de las maestras:
- *Este país es el más rico del mundo.*
- *Las Malvinas son Argentinas.*
- *Todos los argentinos son vagos.*

No me animo a resolver este sospechoso silogismo, pero junto a ese cúmulo de sentencias se nos inculcan también algunos sagrados principios de moral:
- *Queda mal meterse los dedos en la nariz.*
- *Es horrible leer una carta ajena.*
- *Arderá en los fuegos infernales quien se quede con un vuelto.*

Como pilares de esta civilización occidental y cristiana uno diría que son bastante endebles.

Pero ya sabemos cómo anda el Occidente y mejor no hablar del cristianismo... De cualquier forma queda en pie, cual piedras angulares de la decadencia pública, un conjunto de pavadas, un decálogo que ningún buen hipócrita se priva de recitar.

A esta altura del partido no entiendo qué tiene de noble negarse placeres tan simples y gratificantes. Tal vez, cumpliendo con estos mandamientos santurrones uno consiga irse al cielo de las comadres, y escoba en mano, chancletear las veredas del paraíso. En lo que a mí respecta, declino tan alto honor y lo cambio por la delicia de transitar gazmoñamente lo prohibido. Sólo lamento que en realidad lo prohibido sea tan ganso.

Mata-Hari era una chusma

Colette solía decir: *"Espía la vida de tu vecino y lo convertirás en criminal"*. Me parece que la frase se entiende, pero igual la explico: *las personas observadas atentamente desde fuera, siempre parecen tener costumbres extrañas.*

Si nos ponemos a vigilar a una virtuosa viuda, transformaremos su casta salida al dentista en una orgía amorosa: tal vez su amante sea un adolescente, quizá le paga y, ya que estamos, en una de ésas para conseguir la plata vende drogas. Resumiendo, nuestro espionaje ha convertido a la señora en una delincuente. Por fortuna una no se aboca a la vida del prójimo con tal fervor porque anda muy ocupada, porque el prójimo jamás provoca escándalos como la gente, porque además soy muy chicata y, finalmente, porque soy discreta, je je.

Sin embargo, una cosa es un vecino y otra la familia de una, fuente de todo placer y de toda desdicha. *¿Habráse visto algo más apasionante que sus vidas, en especial ese trozo de vida que no nos cuentan?*

Lamentablemente, este deportivo interés no nos deja más que dos caminos: o nos ponemos honorables como Kung Fu –y nos jodemos– o entramos en la variable de la arpía. Como Kung Fu siempre me pareció un boludo, me inclino por el estilo arpía y para consolarme me digo que así comenzó Mata Hari y a nadie se le ocurrió llamarla chusma.

En mi caso mis hijos han quedado fuera de esta pasión morbosa (no sé muy bien si por miedo a lo que pueda descubrir o porque si me pescan me matan). En cambio, el bienamado es un manantial de jugosos secretos, el jardín del Edén con un manzanar completo. ¿Quieren que me pierda esa delicia?

Se me podrá objetar que Simone de Beauvoir no le hacía eso a Jean Paul Sartre, pero coincidamos en algo: a mi admirada Simone se le pasaron por alto estos pequeños deleites de la vida. Ella le contaba a Sartre, Sartre le contaba a ella, todo muy existencialista, claro y racional. Pero del sagrado placer del chusmerío, del espurio deleite del fisgoneo, *nunca entendieron nada.*

Los bolsillos de mi marido

Periódicamente debo poner a prueba mis dudosas virtudes en dos momentos más que críticos: *vaciar los bolsillos del que les dije cuando*

70

hay que mandar el traje a la tintorería y decidir qué hago frente a una carta personal (dirigida a su persona, no a la mía).

Quien haya leído novelas policiales sabe que las vísceras y los bolsillos de cualquier individuo dan la pista de su vida más secreta. Sería desprolijo hurgarle en el estómago, pero... cuando una tiene la "obligación" de vaciarle los bolsillos, ¿cómo hay que hacer para resistir la tentación?

Habitualmente invoco a Oscar Wilde, que es mi santo preferido cuando estoy por cometer alguna tropelía: tomo el papelerío que extraigo cual si fuera gelinita *y lo coloco en un sobre.* Luego lo pego y encima le paso cinta scotch; me subo a una silla y lo zampo en el lugar más inaccesible de la casa.

Como comprenderán, todo este operativo va dirigido a mi propia persona. En general me da buenos resultados, *pero el damnificado ha perdido así dos cédulas de identidad y varios papeles importantes,* cuya ausencia memora de vez en cuando con una tajante puteada.

Digo también en detrimento de mi virtud, que en general lo que lleva en sus trajes es absolutamente aburrido tirando a escolar: *Boletos viejos, tarjetas de señores, palillos y pelusitas.* Creo que nunca le encontré bolitas, de pura casualidad (sí, claro, "a veces" se los reviso).

El recibe una carta de mujer

Pero sucede que jamás he podido resistirme a las cartas. Y hoy, en este momento, llega una carta con inocultable letra femenina y... ¡*dos rosas grabadas en el sobre! Recibirla y sentir una puñalada en el esternón son una misma cosa.* Alzo el sobre cual si fuera una yarará, mientras voy conjeturando la medida de mis cuernos. Y para colmo –piensa una con esa infatigable idiotez femenina– ¡me cornifica con una cursi!

Y yo la abro

Frente al dilema, durante los primeros diez minutos mi dignidad se impone y decido dejarla majestuosamente en el lugar de la correspondencia. En el minuto número once mi dignidad ha cedido un poco y resuelvo colocarla sobre la mesa a la hora de almorzar para, segundos después, servírsela en la sopa *y a continuación romperle el plato en la cabeza.*

Ya con mi dignidad hecha trizas apelo a mi pragmatismo: cualquiera de esas variantes pueden llevarme a que jamás me entere de lo que decía la carta. Ergo, *sólo me queda abrirla.*

No menos de treinta segundos gasto en argumentos absolutamente perdedores del tipo: *"Después de todo, para qué le tenés confianza"* o *"La cuestión no es cosa mía".* En fin, todo es inútil puesto que se la voy a abrir al muy guanaco.

Claro que el trámite es también complicado, si estuviese segura de que comienza con un *"Amado mío"*, lo haría sin escrúpulos y hasta la ley me proteje del puñaladón que le ensartaré en estado de emoción violenta. Pero, *si no dice "Amado mío", con qué cara se la entrego después.*

Elijo entonces una alternativa intermedia. Según aprendí de mis viejas lecturas policiales, pongo el sobre al vapor. Pero en lugar de abrirse, comienza a tomar un aspecto atroz de "carta hervida con rosas chorreantes".

Suspendo el operativo y le meto un uñazo, de frente march. La carta dice:

"Estimado amigo: disculpe que lo moleste pero necesitaría conseguir la dirección de Mengueche, que según me han informado, es también amigo suyo. Le complacerá saber que soy muy feliz en mi matrimonio y, cuando pasemos por Córdoba, iremos a visitarlo, de paso tendré el gusto de conocer a su señora. Atte/. Mingocha de Pérez".

Elevo la más tierna y puntual de las puteadas a doña Mingocha de Pérez y comienzo a sentirme un gusano. Releo, por las dudas en ese inocente texto se esconda algún mensaje en clave, pero ni aun mi podrida imaginación consigue encontrar nada.

¿Y ahora qué hago? La única opción inteligente es tirar los despojos a la basura y que nadie se entere de la infamia, pero... pobre Mingocha. *¿Y si realmente necesita esa dirección? ¿Si de eso depende un laburo, una casa, su vida?* ¿Cómo voy a cargar sobre mi conciencia una carta profanada más una señora sin trabajo, sin casa, tal vez muerta?

No hay más remedio, debo dar la cara. Sobre la manera de sobrevivir a este tropiezo con cierta dignidad les contaré en otra ocasión, De cualquier forma yo no les aseguré que el deporte no tenga sus riesgos.

Pero el que no arriesga no gana y el que pierde es un gil.

16. LA GUERRA CON LOS PORTEROS

"No sé de dónde salieron" –pienso yo de ellos. "Andá a saber de dónde salen" –piensan ellos de nosotros. Pero ni con la conciencia de que la persecuta es mutua puedo consolarme de que el mundo esté plagado de esa "mano negra ocupada" que controla nuestra vida, registra nuestros horarios, se mete con nuestros amigos y me hace sentir, sin prisa y sin pausa, que los inquilinos van y vienen mientras sólo ellos permanecen...

Puedo jurar por los Santos Evangelios, por la patria y por mi honor, que entre los porteros y mi familia ha existido siempre un entusiasta odio a primera vista. Y si al primer vistazo nos odiábamos, al segundo nos habíamos declarado la guerra de exterminio. Largos y duros años de batalla en los que no se vislumbra un ganador neto. Cierto es que vimos con alborozo cómo se jubilaba uno. Pero un infarto triple de miocardio, una locomotora haciéndolo papilla, ese mal rayo que lo recontraparta..., *no.* Esas satisfacciones, nunca.

Del mismo modo, aunque por lo menos tres veces han intentado nuestro desalojo con notas altamente infamantes dirigidas al propietario, la tribu aún permanece aferrada con uñas y dientes al departamento. Es probable que un día nos serruchen las cuerdas del ascensor, pero todo otro artilugio ha sido en vano, incluso apuntarnos con una 45 por la mirilla (ése fue el que se jubiló).

En fin, que los escándalos han sido tantos y tan variados, que más de una vez me han hecho preguntarme: *¡¿Por qué a nosotros, buen Dios, por qué a nosotros?!*

A fuer de sincera, debo reconocer que tal vez un portero pueda contar alguna que otra historia alguito singular. Pero, me parece, no es para tanto. Juzguen ustedes.

Del pis en la cabeza

Corrían los años de la dictadura y habíamos arribado a nuestro primer departamento, Ipso pucho nos entregaron el reglamento interno, según el cual lo único que nos estaba permitido era *toser de 16 a 16.30.* Cualquier suspiro fuera de este horario se consideraba grave molestia a los vecinos y alta traición a la patria. Según podemos recordar, todos los adultos, durante aquellos años, estábamos habituados a contener la tos. ¡Pero, vayan a convencer ustedes a dos robustos adolescentes, tan aptos para la disciplina como Tutankamón para la cumbia!

Obviamente, no pude, y allí comenzaron los primeros entuertos: que la música, que los portazos, en fin, que muy bien no nos miraban.

En esos tire y afloje estábamos cuando llegó aquel día, desdichada sea la hora en que mi hija arribó con unos amigos "raros". No en el sentido en que ustedes están pensando, sino, más bien, en su opuesto. Eran unos feroces mocetones cuyo aspecto daba para cruzarse de vereda al encontrarlos al mediodía y huir en pánico a medianoche. Por supuesto puse un grito en el cielo, mi hija puso otro, y como para gritar ambas somos buenísimas, la cuestión se mantuvo en una impasse hasta que un día, al regresar del trabajo y encontrármelos aposentados en el living, amable cual un tiburón, los saqué zumbado con cajas destempladas.

Irse, se fueron; pero en el ascensor, en señal de repudio, orinaron prolijamente por la puerta. Hasta allí, como comprenderán, el episodio se perfilaba como infortunado; pero aún nos aguardaba la tragedia. Exactamente en la planta baja, apretando el botón y tratando de mirar para arriba, estaba una vecina. ¿Alguna vez vieron la furia de una señora a la que le han hecho pis en el rodete? Con vuestro permiso pasaré a saltear la descripción porque sólo recuerdo, como en una nube, que la señora puso en tela de juicio mi honra, la de mi madre, la de mi abuela y la de mi bis. Recuerdo también que yo trastabillaba aferrada al quicio de la puerta, sin saber bien si ofrecerle mis excusas o mi champú.

En síntesis, fue muy desagradable. Pero se transformó en infernal cuando intervino... ¡*el portero!* El muy guacho, sobre que ya estábamos compungidos, nos informó que la señora era esposa de un brigadier, coronel, general o no sé qué cosa, porque me confundo los cargos de los militares y a lo sumo acierto con no decirles "señorita".

Si suman ustedes el tamaño de la ofensa a un grado militar durante la dictadura, entenderán por qué el maldito portero me tuvo con pesadillas durante años. Sólo con el correr del tiempo llegué a enterarme de que mi vecina, pese a su ataque de ira, era en realidad muy piola; y de que el famoso "militar" que me hacía temblar hasta el caracú, estaba noblemente retirado y dedicado de lleno a tareas tan ecológicas y admirables como la cría de cervatillos y faisanes.

Pero, díganme, ¿quién tuvo la culpa? ¿El portero o nosotros? No, mejor no me digan nada.

El día que los rugbiers se desvirgaron

Paso a comunicarles que mi hijo menor practica rugby. Entiendo que este deporte es señal de *status,* pero no es mi culpa que el club de sus amores sea el más piojoso de Córdoba. Dicho con todo amor, el equipo de la "U", en la cancha, es como para tirarle maníes ("mi" propio jugador, por ejemplo, aún luce la camiseta que le regaló la abuela cuando tenía nueve años, cosa que no dice nada si no agregamos que ya está por cumplir los dieciocho).

Vayamos a la historia. Como ustedes sabrán, los rugbiers tienen por costumbre viajar a otras provincias y alojarse en casa de compañeros; bella y fraterna práctica a la que adherí con entusiasmo, sobre todo porque durante mucho tiempo la "casa de los compañeros" no fue la mía y siempre le tocaba a alguna madre ignota cargar con mi pequeña alhaja (algún pecado oculto pagó esa colega).

Sin embargo, como no hay dicha que dure cien años, me llegó a mí también el día de recibir huéspedes.

Se trataba de un equipo uruguayo que visitaba Córdoba, y en el reparto ligué lo mejorcito. Un niño con pinta de intelectual, hijo de un periodista, excelentes modales y –¡súmmum de la dicha!– muy callado. La situación era una fiesta. Pero claro, dénle una oportunidad a mi hijo y verán en qué terminan esas situaciones idílicas. Así fue como al finalizar casi la estadía me anunció que pensaba hacer *"una pequeña reunión en casa".* Alma cándida hasta el fin, no imaginé las consecuencias.

Lo primero que ocurrió, es que en el living de un departamento donde con dificultad entramos cuatro, se apretujaron, mediante extrañas maniobras, veintitrés quinceañeros cuyo acné competía con su entusiasmo. Reconozco, plena de humildad, *que un sólo quinceañero extermina mi paciencia;* así que saquen la cuenta con veintitrés y comprenderan por qué me sentía tan apabullada. Ante el desastre ya consumado –¡creía!– procedí a impartir las sabias instrucciones que damos las madres en esos casos. Tiernamente le indiqué a mi criatura que si alzaban la voz o ponían fuerte la música le retorcía el cogote, Con tan santas palabras me retiré a mis aposentos, me tomé dos tranquilizantes y me dije: *"Mañana será otro día".* La macana es que no pensé en lo que sería *esa noche.*

Según pude reconstruir los sucesos con el correr de los meses y el escándalo, los jóvenes, orgullo de nuestra nación y de la nación hermana, eligieron esa noche para desvirgarse. De a uno en fondo partieron hacia Colón y Sucre (para quienes no conocen Córdoba, antigua parada de señoritas de antiguo oficio), y luego de consumado el hecho retornaban triunfantes.

En general, no tengo opinión formada sobre el tema de que los jóvenes se desvirguen... siempre y cuando no retornen a *mi* casa, sean clamorosamente festejados por los veintidós que aguardan en *mi* living y celebren entre aullidos, en *mi* entorno.

De cualquier forma, créase o no, yo dormía.

En esta singular actividad –y según cuentan, con un barullo apocalíptico– iba transcurriendo la noche, cuando los jóvenes derivaron a la cuestión política y en un estado presumiblemente alcohólico se amontonaron en el balcón al grito de *"¡se va a acabar, se va a acabar la dictadura militar"* y *"¡paredón, paredón a todos los milicos que vendieron la nación!"*

Más por insomnio que por desacuerdo ideológico, subió la vecina del primèro a pedir piedad. Fuera ya de todo control, los niños intentaron apretarle los dedos con la puerta, mientras alegremente informaban: *"mi vieja está durmiendo"* (hasta el día de hoy la vecina me mira como si fuera Marilyn Monroe... en el preciso instante en que agarró el teléfono blanco). Inocente fui de toda inocencia, y así me perdí el momento en que bajó el portero y los apuntó a todos con una 45.

Por supuesto que lo único que me contó mi hijo al día siguiente fue lo del revólver, por lo cual, ardiendo de santa indignación, armé un tole tole de novela. Muerta de humillación le retiré el saludo al portero; y enterado de la situación, mi actual dorima se solidarizó con la causa y amenazó trompear al encargado si volvía a molestar a *"esa familia tan correcta"*. (Sólo los años y la posterior convivencia han sacado a mi bienamado de este error).

Pues bien, me pregunto: *¿debe un portero sacar una 45 contra apenas veintitrés criaturitas indefensas?* Otra vez os pido silencio. Una granada es más efectiva.

Conclusiones

En verdad podría seguir explayándome más sobre porteros y persecuciones, porque aunque comprenda que mi familia tiene algo de singular hay perversiones que corren por absoluta cuenta de ellos. ¿A quién le gusta que un señor le ande espiando la vida inofensiva que uno lleva? ¿En qué universidad sacaron el diploma de verdugos-sirvientes? ¿Por qué nos miran con ojos cruzados si se nos tapa la pileta y dejan flotando en el aire la absoluta certeza de que lo hicimos adrede? ¿Por qué si uno vuelve de madrugada y se cruza con él, mientras pudorosamente saludamos *"Buenas noches"*, se emperran en contestar *"Buenos días"*, con ojos de madre castradora? ¿Por qué la risa parece enloquecerlos de odio mientras sorben con fruición en las desgracias? ¿Por qué detestan a los jóvenes de pelo largo, a las chicas de faldas cortas, a los viejos que son lentos y a los niños que son rápidos? ¿Por qué a los perros, los gatos, los cuises y los canarios?

Enemigos del amor, comadres con bigote, vampiros de intimidades ajenas, custodios de pesadillas, guardianes de chimentos viles, peste para los amantes, naftalina para los optimistas, Raid para los soñadores... allí están para amargar nuestra existencia y señalarnos del modo más avieso que el mundo anda así de mal por culpa nuestra; y que si por ellos fuera...

Sin embargo, si alguno de ustedes adhiere a esta notuela, aporto una reflexión para consuelo: así como a cada chancho le llega su San Martín, a estos guanacos, de vez en cuando, les cae una familia como la mía.

¡Y ahora los dejo porque tengo que salir corriendo a tirarle basura en el palier!

17. RUMBO A ALEMANIA

Si algo me ha sostenido en este duro oficio del periodismo es la esperanza de que alguna vez alguien me invitará a alguna parte. Bendito sea el gobierno alemán que concretó mi sueño... Aunque si has nacido en Argentina, es al ñudo que te viajen.

Yo no sé cómo harán o qué clase de familia tendrán mis colegas, pero en lo que se refiere a la mía, fueron poco propicios a mi viaje.

Por el lado del gran marido en jefe, su cara era una apología al trasero, complementada con expresas amenazas de que a mi vuelta mejor me buscaba otro esposo, salpimentado con velados augurios de que en mi ausencia se daría a todas las orgías de Sodoma y Gomorra. Mis dos hijos, con mayor pudor, optaron por enfermarse de gravedad: uno tosía más que Chopin tuberculoso (extraño síntoma en un rugbier de su tamaño y rozagante salud general) y entre tos y tos me miraba acusadoramente. Era claro que si *"él"* se ponía tuberculoso sería sólo culpa de su pérfida madre que lo dejaba por quince días. Mi hija no se quedó atrás y fue víctima de una fiebre extraña que *"seguro terminaría en algo mortal"* en cuanto yo pisara la escalerilla del avión. Digamos que el consenso general era que sólo una madre-esposa de las peores aceptaría viajar en esas condiciones. Pues bien: *"soy"* una madre-esposa de las peores porque ni se me pasó por la mollera rechazar la invitación en nombre de los síndromes de amor latino y, muy cínicamente, pensé que mis hijos sobrevivirían y que mi esposo *(eso fue soberbia)* no iba a encontrar en tan poco tiempo otra alhaja como yo. Así fue como, algo convulsa pero decidida, me metí en ese Lufthansa rumbo a Frankfurt.

Preparando el equipaje

Me parece que más o menos todos sabemos que para ir al campo hay que ponerse zapatillas, para la playa esquipis y para una fiesta, tacos. Pero, ¿qué cuernos hay que llevar a Alemania? *"En la duda abstente"*, dice la sabiduría popular, pero como de sabia nunca tuve nada, hice exactamente lo contrario: en la duda, ¡me llevé todo!

La verdad sea dicha que mucho "todo" en realidad no tengo, pero en cambio poseo buenas amigas con buenas sugerencias, buenas pilchas y ganas de dar una mano. Se hizo entonces una gran olla popular y cargué con una valija que pesaba como todos los infiernos, más un bolso de mano como para dislocar un hombro, y una cartera donde, con mi natural orden, se mezclaban el cepillo de dientes con el pasaporte, el rimmel con lapiceras, agendas con chiclets, colgantes con direcciones, rouge con un par de medias, genioles con pastillas para dormir, y pedacitos de hojas de árboles con entradas al cine usadas que guardo no sé muy bien por qué motivo.

Pensando que tal vez la Reina me diera una entrevista (no me pregunten "qué" reina en Alemania) portaba un traje de luces que ni Manolete, y previendo un cocktail: una cosa toda plisada. Para una cena: un dos piezas con puntillas y, por las dudas, mi viejo y cotidiano par de vaqueros (huelga aclarar que lo único que usé fue el vaquero pues la Reina estaba ausente y a la noche llegaba tan cansada que sólo aspiraba a tirarme en la cama con los vaqueros puestos).

Queda agregar a tanto disparate un toque magistral de pavada aguda: una amiga, velando por la prolijidad de mi pelo *"mota de dedo puesto en el enchufe"*, había aportado ¡una caja de ruleros eléctricos!

¡Por las barbas del profeta! Paseé el artefacto por toda Alemania Occidental, anche un breve paseo por Berlín Oriental, y sólo hubiese podido enchufármelos en... bueno, que no entraba la ficha y la corriente es distinta (la clase de destrozos que hicimos en el intento con el mozo catalán que me atendió en el hotel de Bonn, bien puede inscribirse dentro de los más brillantes cuentos de gallegos. Pero todo fue inútil. Perdí una horquilla en cada posta, desconcerté a docenas de aduaneros y me deslicé por Alemania con la mota al viento). ¡Ahijuna!

De adioses y partidas

Si ustedes creen que una cordobesa parte de su aldea sin más ni más, están profundamente equivocados. Cada viaje aquí es un acontecimiento que, si bien no llega a las páginas sociales, revienta de chismes la caldera del diablo. Nunca falta, por ejemplo (¿cómo se la iban a perder en esta ocasión?) el grupo de amigos que se hace el picnic.

De paso cañazo, con el pretexto de las despedidas, aprovechan para alimentar su morbo y acrecentar su inveterado alcoholismo.

Cena tras cena, no faltó el sádico que ante la flagrante cara de bragueta de fraile de mi esposo, insistiera con la inocencia de Drácula en cargarme sobre lo "bien" que lo iba a pasar "sola". Hubo quienes, con una malevolencia inexcusable, exaltaban la virilidad del pueblo alemán (flagrante mentira, porque ordenados serán, pero en "eso" son famosos por lo impávidos). Siempre al calor de estos "amicales" adioses, se ofrecieron cordialmente a proporcionarle "todo lo necesario" durante mi ausencia, cabaret incluido, por supuesto.

Y así arribamos al día "D", cuando en el mismísimo aeropuerto, en una sencilla cual canalla ceremonia, se le hizo entrega al "viudo" de un paquete que contenía matracas, papel picado, un sombrerito a lo Isidoro Cañones y una cornetita. Según me cuentan, tenían también planeado la asistencia de algunas señoritas de la "profesión" (no precisamente periodistas), y como culminación, una gran lanzada al aire de profilácticos inflados. Ni sueñen que se privaron por consideración a mi persona; creo que sólo nos salvó de ese bochorno el hecho de que en la aldea nos conocemos todos y los malditos antes mencionados son más famosos que la ruda y gozan de cierto prestigio profesional, no del todo bien ganado, como queda claro. En fin: que decidí matarlos a la vuelta y me quedé mascullando que para amigos así mejor me mudo a Suecia, que son más formales.

Desconciertos iniciales

Pues bien, finalmente estaba yo en el Lufthansa y como iba casi vacío, las azafatas me indicaron que me sentara donde quisiera. Elegí un asiento al lado de una ventanilla, desparramé mis cosas en los de al lado y me dispuse a disfrutar el viaje. Hasta Río de Janeiro hubo paz. Allí subió una pareja de alemanes y sin vacilar y con los pasajes en la mano, comenzaron a retarme. La verdad sea dicha, no entendía una papa, pero dos alemanes hablando siempre parecen declarando la guerra.

Mientras recogía los chiclets, el rimmel, las lapiceras, las entradas viejas y basuras varias, se levantó de atrás un caballero. Cincuentón, buena pinta, traje impecable y castellano muy entendible, quien me explicó que me estaban pidiendo el asiento y me ofreció, con la amabilidad del Kaiser redivivo, que me sentara a su lado.

Terminé de recoger mi plumerío, me acomodé a su lado e iniciamos una amable conversa. Resultó ser un colega (pero de quince mil dólares mensuales, no como una), versado en varios idiomas (tampoco como una). De allí en más, y mientras las azafatas nos propinaban un sinfín de atenciones, el diálogo derivó hacia la política, su patria, la mía, el dólar, en fin, ya se sabe.

Adentrándonos en la noche, caímos en el plano familiar. Casado, sacó una preciosa foto de su esposa y me reprochó no llevar conmigo la de mi cónyuge. Dos hijos, vuelta fotos y vuelta reproches, porque yo sólo podía mostrar hojitas o cepillo de dientes, pero de fotos, minga. Y así llegamos a la hora de dormir, o algo así, porque viajando contra el reloj la única manera de cualcular el tiempo es cuando las azafatas dejan de hinchar con souvenirs, cine, chocolates y cosquillas varias.

Casi al borde de ponerse el pijama, mi amigo Gunther (así se llamaba) me explicó cómo convertir el asiento en cama y púdicamente se marchó a dormir en la parte vacía del avión. Me estiré, me dediqué un instante a considerar las infidelidades de mi marido, la tuberculosis de mi hijo y la fiebre polinésica de mi hija, y cuando ya estaba por soltar el llanto, ¡aparece Gunther! (whisky en mano y zapatitos de dormir en pie), para continuar la amable conversación. Sin duda, eran ya altas horas de la madrugada considerando cualquier latitud, y como mi mamá me enseñó oportunamente, un señor que nos invita a tomar whisky casi descalzo a esas horas, es porque algo se trae entre manos (por decirlo de algún modo).

Medio me puse parcona y me quedé al acecho. Mi amigo Gunther, imperturbable, procedió a explicarme que no se podía dormir y que, además, dormir era un crimen cuando había cerca una persona tan encantadora como la abajo firmante. Pasó luego a detallar la multitud de virtudes que me adornan: mi graciosa verba, mi preclara inteligencia y mi notable amor por los animales (no sé de dónde habrá sacado mi amor por los animales, pero de cualquier forma, habida cuenta las circunstancias, "eso" era un lance. Seguro figura en el artículo tres del código de levantes de Lufthansa). Puse en la oscuridad mi sonrisa de gato y lo dejé avanzar, toda canchera, hasta el momento mismo en que se lanzó a recordar *"cómo el último viaje divertido que había hecho, lo había realizado con una periodista española"*.

Rapidísima y muy canchera, (pobre de mí) le repliqué que, lamentablemente, conmigo no se iba a divertir tanto (puse en el *"conmigo"* todo el énfasis de la Virgen María y la de Lourdes juntas dejando, como al pasar, la honra de mi colega española por el suelo).

Mi amigo Gunther parpadeó, abrió grandes sus ojos azules, tosió y exclamó sobresaltado: *"¡Creo que aquí hay un error! ¿Usted está pensando que yo...?"* Mi helada mirada le contestó que "eso", eso mismísimo estaba pensando. Gunther volvió a toser y exclamó: *"¡Oh, cuánto siento su confusión, porque yo soy lo que en Argentina llaman un puto!"*

La mandíbula se me cayó hasta el ombligo del asombro. Mi amigo, mientras tanto, con absoluta naturalidad me explicaba que sólo le gustaban los varones de 18 a 24 *("después se ponen muy viejos")*, y que su amante, Hans, lo esperaba en Frankfurt. Creo que si el avión hubiese tenido puerta de emergencia para el caso de papelón estrepitoso, me tiro en la mitad del Atlántico, pero como esas situaciones no están previstas, puse cara de liberada, recogí la mandíbula y me lancé a preguntar: *"Pero, ¿y la foto de su esposa y sus hijos?"*

Recibí entonces un detallado curso de precoz bisexualidad y madura homosexualidad y una infinidad de detalles que para mi almita de criolla, resultaba deslumbrante. Recuerdo cómo Gunther me relató que era profundamente amigo de su esposa, su esposa profundamente amiga de sus amantes y los amantes de sus hijos. Lo que se dice una familia, no como ese estropicio que yo había dejado en casa, sumida en celos, fiebres y toses.

¡Vayan teniendo, señores!, y comprendan, de paso, cómo una pajuerana puede llegar a Fankfurt sin pegar un ojo, pero considerablemente más instruida sobre algunos capítulos de esta vida que mi mamá se olvidó de explicarme. Tal cual lo anunciado, en Frankfurt estaba Hans, y antes de dejarme abandonada en los umbrales de las tierras arias, Gunther reiteró su invitación de que al pasar yo por Berlín, donde él residía, no dejara de llamarlo que, con todo gusto, me serviría de guía.

Pues bien, salteando varias ciudades de mi relato, me apresuro a contarles que así lo hice. Por supuesto que mi marido no me lo perdona más pero como los maridos están llenos de cosas que no perdonan más, a trece mil kilómetros de distancia, decidí no darle bolilla a sus futuras iras. Me felicito, sólo de la mano de Gunther pude acceder, por ejemplo, a una discoteca de adolescentes punk *(el disc jockey que nos franqueó la entrada, a la sazón había sido su amante)* y, sentada a una mesa iluminada como un quirófano, observar la fauna más extraña que circula por el planeta. Era un rejunte de pesadillas; pero curiosamente, no se agredían, no bailaban, apenas si se movían. Me olió a esas fiestas adolescentes que fracasan, pero esas traducciones argentinas son sospechosas. Probablemente estuvieran drogados hasta el tuétano.

Fue una amable noche, sólo empañada por un momento de pánico cuando Gunther amenazó enamorarse de un efebo y por un instante me vi para siempre, desaparecida dentro de una discoteca punk. No por agresión de sus miembros sino porque no tenía la más remota idea de cómo cuernos regresar a mi hotel. También conocí en detalle el Museo del Oro, observé la Nefertitis quien, sin afán de cuerear, es tuerta y tiene un ojo de vidrio. Y no accedí a lugares más conspicuos de pecado porque mi amigo era un puritano (¡¿?!). Creer o reventar, pero, según su criterio, había sitios no aptos para damas. ¡Cache en diez! ¡La de cosas que me habré perdido por ese equívoco que produje! En síntesis, así comenzó el viaje de una latina inmersa en el desarrollo. ¡Aufidensen!

18. UN "PORNO SHOW" EN RIO

Corría el año 81 con los dulces dólares de juguete, y acúsome Padre de haber marchado junto con el aluvión de zopencos a instalar nuestra osamenta en Río de Janeiro. El único objetivo era ser castamente feliz, sin que la pornografía hubiese pasado por nuestras cabecitas asolea- das (no más que de costumbre, al menos). Sin embargo, como este mundo conspira contra la castidad, un buen día nos encontramos con una colega y su esposo, quien nos pasó el dato de que en Río, apenas a tres cuadras de nuestro hotel había porno shows "mucho más bravos que los de Holanda". ¡CRUNCH! me hizo el seso. En el acto las doradas playas de Ipanema me parecieron el recreo de un jardín de infantes y allí comenzó el descalabro.

¿Qué pasa, por la cabecita de una latina reprimida, al enterarse de que tiene un porno show al alcance de su mano? Pues a mí se me moviliza- ron todos los ratones. Por aquella vieja fascinación del bolero —*"yo tengo un pecado nuevo que quiero estrenar contigo"*— mezclado con la certeza de que en mi país, por aquel entonces, el único pecado posible era desentonar el Himno.

Resumamos, ganas tenía. ¡Qué va!, tenía unas ganas bárbaras o, como diría mi abuela, me salía de la vaina por ver cómo era la cosa; y sin embargo me costó decidirme. Me inmovilizaban ideas tan vivara- chas como éstas: *¿y si me encuentro con la vecina del décimo, que medio me tiene entre ojos? Y la gente de las otras mesas ¿acaso no se van a dar cuenta de que yo estoy mirando esas cochinadas?*

Dos días después, sucumbí. Virtud frágil, podrá decirse, pero sé de quien sólo lo piensa tres segundos.

¡Adentro se ha dicho!

El boliche –si quieren tomar nota– se llamaba (se llama) *"Frank"*, en la rúa Siqueira Campos casi esquina Barata Ribeiro.

Como yo estaba bastante frenética por la ansiedad, arribamos a las 22 exactas y fuimos informados de que el show empezaba a las 24. Casi me desmayo de la vergüenza, ¡¿imaginaba o era cierta esa sonrisa de sorna mezclada con un "bien te juno, muchacha" que me puso el portero?!

Tratando de parecer digna y respetable me retiré, y para afirmar mi displicencia retornamos a las 0,15. Esos 15 minutos fueron fatales pues nos tocó una mesa por el traste del mundo. Para ver había que asomar el pescuezo de un modo harto impúdico. La elemental reflexión de que todos estábamos allí para ver y que difícilmente alguien se preocupara por cuánto asomara yo el pescuezo ni pasó por mi mollera.

Pedí un whisky para reconfortarme y me trajeron un derivado directo del gasoil, que es la versión brasileña de esa bebida. Mi estómago comenzó a dar sus primeras señales de alerta, pero todavía tenía margen para observar discretamente (muy discretamente) a mi alrededor.

El escenario era una simple tarima a ras del piso, con luces directas y rodeado de mesas tan próximas que con sólo estirar la mano se podía tocar el ropaje (debería escribir "el trasero" para ser precisa) de los artistas. En cuanto a la concurrencia, pude observar un grupo de brasileños con una cara de onanistas que volteaba, y otro grupo de argentinos con cara de jóvenes onanistas argentinos; dos o tres matrimonios a quienes les adivinaban que eran unos cochinos como nosotros, y una pareja de yanquis que habían entrado santamente confundidos a tomar un café. En cuanto vio como venía la mano la señora se levantó airadamente y sacó a la rastra a su esposo, que demostraba un lamentable entusiasmo por quedarse.

Entrar es fácil, mirar es otra cosa

Justito cuando el whisky parecía que iba a mantenerse ordenadamente en mi estómago, hacia mi derecha escuché un "permiso" y una joven totalmente desnudita me pasó por encima esquivando mis rodillas rumbo al escenario.

Abrí la boca y la cerré de golpe cuando un muchacho en igual grado de desnudez profirió otro cortés "disculpe" y me pisó un callo.

Aclaremos, una no nació ayer y no era el primer hombre desnudo que había visto en la vida. He observado las esculturas de Praxíteles, malpensados. Sin embargo no es usual que un varón con sus cosas al aire me pise un callo y encima pida disculpas. Una estatua jamás haría eso.

Sigamos. Los artistas subieron al escenario y con una música de fondo llena de jadeos ella comenzó a hacerle cosas que juro no alcancé a ver del todo, pero bien podía imaginar. Luego los dos se acostaron, con lo cual desaparecieron definitivamente de mi visión. Subirme sobre los omóplatos del señor que tenía a mi derecha para observar, me pareció harto indigno para una dama. Supongo que la pareja se desenvolvió muy bien, mientras mi whisky lo hacía muy mal. La concurrencia los animaba entre gritos y exclamaciones que poco tenían que ver con la lírica. Hubo un chan chan final de la música, aparentemente coincidente con lo que sucedía en el escenario y entre aplausos entusiastas, los artistas (de algún modo hay que llamarlos) se descolgaron del tablado y luego de pisarme una vez más los callos se precipitaron en los camarines. A continuación una turbamulta de señoritas —así me pareció— ocuparon el escenario mientras mi estómago, mi corazón y mis trece años de escuela de monjas gritaban: *¡basta!* Mi solícito esposo se paró al instante y me acompañó a la salida.

En dirección a la puerta y con el rabillo del ojo, pude observar cómo en la tarima las señoritas se daban un amasijo infernal. ¡¿Todo eso se podía hacer entre las mujeres?!

En fin, que nos sentamos en la avenida Atlántica con la espantosa sensación (mía) de haber ido a espiar enanos en un circo o a tirarle maníes al hombre elefante. Como broche final aparecieron dos negros que desde lejos nos miraban fijo (*"ahora nos asaltan, nos matan, nos tiran al mar, nos comen los tiburones y nos vamos al infierno, bien hecho"*).

Pero los negros, contrariando la leyenda de Río, no sólo no nos asaltaron sino que, lo juro, con su expresión más beatífica nos entregaron un volante que decía *"Sonríe, Dios te ama"*. ¡Cache en diez, sólo a mí me ocurren esas cosas! Pese a todo, como bien dice el cha cha cha, no hay primera sin segunda. Y este año, ¡volvimos!

La segunda es la vencida

Pasaron tres años desde aquel insigne papelón que ni Sor Juana Inés de la Cruz se hubiese atrevido a protagonizar. Tres años en que en mis ratos de ocio me flagelé con las siguientes reflexiones: *"¿Acaso a la tierna edad de ocho años no le robaba a mi hermano las novelas de la colección 'Orquídea'? ¿No era yo la misma que a los catorce leyó dentro de un ropero las 'Memorias de una princesa rusa'? ¿Qué había ocurrido con esa joven esperanza del erotismo nacional? ¿Es que acaso la filosofía de la dictadura era más fuerte que mis convicciones libertarias?"*

Con tres años de darse esa matraca una puede volver a un porno show a verlo y hasta subirse al escenario para prestar ayuda si fuera menester. Así fue como inaugurando el '84 marchamos hacia Río con el cartel del porno refucilando en nuestras molleras, y con la heroica decisión de Sócrates ante su cicuta.

Reservamos entonces en *"Frank"* una mesa en primera fila. De los artistas sólo nos separaba un jadeo y, por la dudas, yo adelanté mi silla y me calé las gafas, cosa que sólo hago en público en caso de incendio (y de eso se trataba). La concurrencia era similar a la otra vez, con menos argentinos onanistas y más brasileños ídem. Con secreta satisfacción contemplé cómo a una mujer que estaba con su esposo le agarró el síndrome de la vergüenza y se tuvo que levantar en la mitad del espectáculo (inhibición de muchos, consuelo de idiotas, que le dicen).

Apagaron las luces, se iluminó la tarima y subió la primera pareja. El llevaba un pequeño slip que ella comenzó a bajarle con movimientos muy insinuantes. Me acomodé en el borde de la silla, me sujeté las gafas para no perder detalle, y apareció... ¡un ñoqui! Más que para actuar en un porno show el mozo estaba para mandarlo a la cama con dos aspirinas y un termómetro. *"Debe estar engripadito el pobre"* —pensé con esa alma de idishe mame que me traiciona a cada rato. Los muchachos de la mesa vecina no lo tomaron de igual modo. Gritos enardecidos se escuchaban por doquier. Me pareció un milagro que "eso" que estaba viendo se acercara a la forma que debía tener para servir de algo. Supongo que la señorita acompañante pensó lo mismo porque se dio a manejos de toda índole con el ñoqui del señor. La pobre puso todas las artes del Kamasutra mezcladas con antiguas sabidurías brasileñas y luego de una eternidad ocurrió el casi milagro: un "casi" aleteo, un pequeño "levántate y anda", o "levántate y acuéstate", que era el objetivo general.

Digamos que el mozo no estaba para violar a nadie, pero con muy buena voluntad podía ser violado. Eso mismísimo hizo la señorita. Lo acostó, lo puso patas para arriba, patas para abajo; e hizo otro tanto y mucho más. Pero ¿cómo explicarles? ¿Alguna vez tuvieron un lavarropas cuya manguera tiende a caerse de la canilla? Bueno, como eso era. En tal penoso forcejeo estuvieron, entre los gritos cada vez más enardecidos del público. Mi deficiente portugués me permitía entender que una mitad pedía la devolución del dinero mientras los otros aportaban sugerencias. Y de pronto la música hizo "chan chan", se encendieron las luces y el espectáculo se dio por terminado. El artista recogió su slip, dijo un "puta parió", atravesó la platea acusándonos de distraerlo y argumentando airadamente que *sin concentración no se puede trabajar* se retiró en medio de abucheos. ¡Y pensar que hay mujeres que sueñan con ser violadas en Copacabana!

Vuelta el juego de luces y otra pareja. El, bastante agraciado por la zona sur. A ella no la miré por razones obvias. *¡Quede en alto el honor del Brasil!* Se lucieron, o al menos se lució él porque en general a las mujeres no se nos nota. De cualquier forma, no pude menos que hacer la crítica feminista: en esa demostración de acrobacia todo estaba contemplado menos el placer de ella (salvo que alguien me indique cómo llegar al orgasmo en medio de saltos mortales).

El tercer número fueron dos mujeres. Del tema no sé mucho y tampoco estoy segura de haber aprendido algo. En términos generales me dejaron la sensación de estar jugando al truco sin barajas o al golf sin palos. Qué se yo, algo les faltaba. Pese a todo, las damas se defendían como leonas. De tal suerte, si tuviera que opinar sobre lo visto diría que para ser lesbiana hay que aprobar primero un curso de gimnasia de la Jane Fonda.

Eso era un recrujir de cintura y revolear de patas infernal. Por lo demás, y a diez centímetros de distancia, podía ver que una estaba tentada de risa, mientras la otra le susurraba con disimulo cosas a la oreja. Para mí que se cambiaban recetas de cocina o comentaban una pilcha. No sé, tal vez entre mujeres sea distinto, pero entre hombre y fémina no hay nada más reñido con la risa que "eso", salvo la cuenta de la luz.

Las chicas cosecharon aplausos. Se encendieron las luces y el espectáculo había terminado.

Detalles más o menos, la noche concluyó allí. Los "Liberados de Viuti" polemizamos luego largas horas en un café, con observaciones que iban de la sociología a un Freud de entre casa. Pavadas, bah.

En lo que a mí respecta y pese a haber observado todo con la atención de una urraca impúdica, el resultado fue un fiasco. Mirémoslo así: a uno le gusta ir a ver películas de terror para tener miedo, cómicas para reírse y dramáticas para llorar. Según esta lógica, uno va a un porno show para cualquier cosa menos para hablar de la condición humana hasta el amanecer.

En síntesis. Le juro que no pasa nada y si no me creen hagan la prueba por sí mismos ¡Atchís!

MUJERES

"Hay un punto al que no puedo dar respuesta:
¿qué quiere la mujer?" **Sigmund Freud.**
No fuiste el primero
ni el último, querido.

19. YO TAMBIÉN FUI UNA SÁTIRA DE 5 AÑITOS

Según una milenaria tradición, en la que hemos sido educadas en particular las niñas, este mundo está lleno de degenerados, de oscuros hombres de la bolsa, monstruos en fin, que comenzarían por ofrecernos un caramelo y terminarían por ultrajar nuestra pureza. Pero, ¿será cierto? ¿Serán los hombres de la bolsa tan oscuros y las diáfanas niñitas tan transparentes? ¿No tendría razón aquel poeta cuando hablaba de "esa inocencia que sólo conocen los niños y algunos asesinos"?

Tan vago como el hombre era el término "pureza", pero aún hasta las más abribocas teníamos conciencia de que ésta se ubicaba de la cintura para abajo. De más está decir que entre las encomiables recomendaciones paternas, más nuestro propio olfato agudizado, "siempre" o al menos "alguna vez", se entrecruzó en nuestra infancia el famoso hombre de la infamia. Que un exhibicionista por aquí, que algún presunto violador por allá, lo cierto es que nuestra niñez fue debidamente escandalizada, perturbada, amenizada por esos degenerados. Sólo los muchos años y una recurrente lectura de Freud me permitieron arribar a un descubrimiento asombroso: ¡los sátiros éramos nosotras! Cándidas niñas de inexorables trenzas y esos pobres seres que fueron sometidos a nuestros más bajos instintos, son parte de una mitología falaz que se resiste a desaparecer.

La pureza de la infancia

"Si me mostrás, te muestro", dijo Diego aquella siesta de verano, mientras dibujábamos con palitos sobre la tierra, sentados en la vereda. La frase no exigía mayores explicaciones, aunque ambos teníamos

cinco años. No lo dudé un instante. *"Quería" que me mostrara*. Más aún, tenía el más profundo de los intereses sobre el tema. El mezquino de mi hermano, único varón "observable" que poblaba mi vida familiar, quien desde chiquitito ya era un hombre púdico y responsable, se había negado sistemáticamente a mis insinuaciones y hasta súplicas de que "por lo menos" me dejara verlo haciendo pis. Puede decirse que mi curiosidad era simplemente antropomórfica, aunque, como la historia de la humanidad me interesaba un cuerno, supongo que era sólo "pitológica" y se me iba a develar en ese instante (realmente no sabía cómo eran los varones). Así fue como Diego, que debe haber andado en las mismas con respecto a las mujeres, se corrió un poquito el pantalón y esparcióse "aquello" cual Jehová ardiendo entre las zarzas. En verdad no me pareció nada en particular, pero aunque ni siquiera sabía para qué servía ese extraño guiñapo de carne rosada, hay cosas que una mujer conoce desde antes de nacer, a saber: cómo hacer trampas. Así fue como una vez inspeccionado el artefacto, lejos de retribuirle la gentileza, me levanté chillando *"¡mamaaaá!"* y corrí a contarle a mi vieja. El primer degenerado se había cruzado en mi vida. Según entiendo ésa fue mi infamia inaugural con el sexo opuesto. Dieguito fue zurrado por su mamá (que fue alertada por la mía), me retiró el saludo para siempre, y no se desató una guerra santa en el vecindario, porque entiendo que ambas madres eran amigas y no del todo tontas. De cualquier forma y como medida precautoria se me prohibió cualquier contacto con su pérfida persona. Cosa que me importaba un pito, ya que después de todo ya había podido verle el ídem. Supongo que Dieguito debe haber aprendido mucho sobre las mujeres. Personalmente, más allá de lo mostrado (que me pareció baladí), saqué como conclusión que, antes de delatar a un sátiro una debe usarlo hasta sus últimas consecuencias.

Calculo que a la misma edad, siempre en la folklórica hora de la siesta, tres dulces y puras niñas jugábamos a las escondidas cuando arribó el "degenerado número dos" bajo la forma de hermano mayor de una de mis amiguitas. Sorpresivamente (nunca en los juegos infantiles participaban los varones adolescentes) Neno insistió en esconderse y arteramente se subió conmigo a una casilla. Bajo la sofocante sombra de los helechos me señaló "allí" y me preguntó con voz cargada: *"¿qué eso eso?"*. (Ahora que lo pienso ¡pobre Neno!, había llegado hasta los veinte sin saberlo). Digresiones al margen, sentí el ansiado peligro como un aliento a mi alrededor y rápida como una ardilla me descolgué del escondite. Me hubiese encantado volver a gritar ¡mamá! y armar un zafarrancho tan delicioso como el anterior, pero si Dieguito no había aprendido yo sí: *"Sátiro del que has de beber, no lo deschavés"*.

De allí en más se inició un largo juego con el *"degenerado"* y

94

nunca sabré si él fue cómplice. De cualquier manera me resultaba fascinante. Aprovechando su calidad de hermano de mis amiguitas me deslizaba en su pieza mientras él ¿dormía? y con el mayor sigilo le revisaba una valija que guardaba debajo de su cama con sus tesoros más preciados. Esa valija fue mi propia caja de Pandora. A la derecha se apilaban una colección de "El Alma que Canta". En el centro, un curioso manual cuyo título y autor lamentablemente he olvidado, pero que enseñaba todas las técnicas posibles para iniciar un romance. Traía fórmulas para cartas, indicaciones para doblar el papel de la misiva que según los pliegues significaba diferentes mensajes ocultos, qué hacer y cómo en caso de encontrarse en público con la amada y así hasta el delirio. Pero lo verdaderamente importante, aquello que era en sí la delicia misma, se encontraba a la derecha de su ordenada valija: eran, según la transcripción de mis cinco años, como dos tapitas de leche la Martona (época de tapa de papel metálico) que adentro tenían globos. *"¡Globos!"*, ¿es que alguna vez creí que lo eran? Sospecho que no, porque una vez robados, si bien servían para inflarlos, con aire o agua, siempre lo hacíamos a hurtadillas. Como nunca volvimos a jugar a las escondidas, tampoco sabré jamás si Neno sabía quién le hurgaba su valija o que esa criatura de rizos de oro se divertía a la siesta inflando sus profilácticos. Del candor de las niñas, ¡líbreme Dios!

El señor del fondo

Finalmente, después de varios intentos fallidos, llegó al barrio *¡un exhibicionista!* Reunía todas las características sobre las que nuestras madres nos habían alertado *"era viejo", "parecía bueno",* gustaba de los niños y ¡colmo de degeneración!... ¡un día nos regaló caramelos!

Sólo Dios sabe qué intenciones habrá realmente tenido ese amable jubilado que gustaba refugiarse en su pieza envuelto en una bata azul y cuya única diversión aparente era la de cebarse mate. Pero a partir del instante mismo en que nos ofreció caramelos, su destino estaba signado: *"iba a ser un degenerado".* Nos costó hasta una quebradura, pero a fuerza de empeño y de pureza finalmente lo conseguimos, ¡por fin el sátiro en nuestro barrio! Claro que no nos fue fácil; por imperio de un extraño inquilinato, la pieza de *"nuestro degenerado"* era francamente inaccesible a las miradas de cualquier extraño. Sin embargo, siempre puede confiarse en tres criaturitas animosas dispuestas a corromper a la ancianidad. Así fue como descubrimos que si nos subíamos al techo de la casa, luego atravesábamos, casi en el aire, una tapia medianera, de allí pasábamos a un nogal y de éste a una claraboya, podíamos por fin observar al exhibicionista. La conducta del mismo dejaba mucho que desear. Mientras tres pares de ojos ansiosos lo observábamos por encima de la claraboya, el muy marrano frustraba nuestros esfuerzos en interminables siestas de mate. No hacía nada, absolutamente nada que nos pudiera interesar, hasta que se cumplía la hora de la leche y nuestras madres nos llamaban a los gritos mientras él nos había ganado por cansancio. Sin embargo, jamás nos dimos por vencidas. Con el correr del tiempo pasamos decididamente a la acción y desde la claraboya le tirábamos piedritas, cáscaras de nueces, hojitas, cualquier cosa, en fin, hasta dejarle la pieza hecha un enchastre. Tanto y tanto insistimos que una buena tarde del Señor, el degenerado, alzando una furibunda puteada al cielo (allí estábamos instaladas), se abrió violentamente su bata azul y con un gesto más que expresivo, se agarró sus partes pudendas. *¡El sátiro!*, gritamos todas al unísono. Y en la alegría del triunfo y el apuro por ir a delatarlo, una se resbaló de la tapia y se quebró no sé qué. Con lo cual teníamos un sátiro con agravantes. No recuerdo muy bien cómo contamos la historia, pero el buen señor desapareció violentamente del barrio y supongo que habrá pasado los últimos años de su vejez, estrangulando a criaturas de cinco años, en nuestro nombre. ¡Canejo que éramos viles para ser tan pequeñitas!

La enumeración de todas las hazañas sería por lo demás inútil, ya que cada uno de ustedes debe tener por lo menos cincuenta del mismo tipo. Cada vez que las recuerdo siento el irónico y ácido regusto de la temprana hipocresía, de los extraños juegos límites que desde siempre han practicado los chicos. Sin saberlo, nos iniciábamos en el misterio nunca revelado del todo, creábamos códigos que oscuramente nos guiarían siempre, hacíamos nuestra la doble mitología de lo deseado y lo posible. Eramos, podríamos decir, francamente degeneradas, si no fuera que a esta altura creo que lo degenerado no existe.

Un último consejo para varones, jamás se fíen de una mujer, aunque tenga cinco añitos. Tampoco se culpen por ello, ya que nosotras pagamos con igual moneda. De nada.

20. LAS TRAMPAS DE LA SEDUCCIÓN Y LAS RELACIONES PEGAJOSAS

En el transcurso de esa larga cacería del varón, siempre esquivo cualquier mujer que ha sostenido una relación con buenas intenciones (léase intenciones de cazar al gil), ha armado su trampa y con el correr de los años "ella" se ha despertado... ¡adentro!

"La trampa" suele consistir en declararse ferviente admiradora de cualquier afición que tenga el plomo. Si él confiesa que adora el fútbol, ella se declarará enloquecida por la pelota; si él se chifla por el rugby, ella dirá que se desmaya en cada try. La idea general es deslizar en las estrechas molleras masculinas que él será acreedor de una compinche de lujo, de una camarada sin par. ¡Pobre de él... y pobre de una!

Una tuerca... sin tornillo

En alguna relación de cuyo final prefiero olvidarme cometí la imprudencia (amén de casarme) de afirmar en los prolegómenos de la historia que a mí "también" me gustaban los autos. Huelga aclarar que sólo los distinguía por los colores. Corrieron los años y no hubo una sola carrera que me fuera ahorrada. De más está decir que después de la primera pasé del desconocimiento más total al odio más entrañable a esos eventos. Una vez que se vio un auto pasar a los piques, todos los demás son idénticos y para colmo... demoran.

¿Han sobrevivido ustedes a la inefable experiencia de apostarse al costado de una ruta horas y horas con el solo fin de ver pasar un coche? Díganme la verdad: ¿no es cosa de boludos? Por supuesto que para agravarlo todo, en algún momento una tiene ganas de hacer pis y hay que partir a los yuyos y justo cuando estamos tratando de que no nos pique una yarará en mala parte, irrumpe en la carretera un degenerado corredor y una dispara con las bombachas a media asta. Motivo por el cual nos ligamos una doble puteada, una por los calzones y otra por habernos perdido la "maravilla" de ese imbécil cuyo único chiste es pasar por el camino.

Quedan aún las penurias de un picnic matizado de hormigas y atragantado de bólidos. El frío o el calor que uno se chupa hasta la médula y el regreso con los pantalones y el trasero perforado, de abrojos. Una trata de recordar en qué puto momento, en qué loco extravío juró y perjuró que "amaba el automovilismo". Se comienza a calcular cuál será la pena por degollar un esposo a la vera del camino. Se imagina el modo de empujarlo con un codazo en la nuca contra el pavimento. Pero a la larga, mucho tiempo después, cuando el rencor es tan solo difusa memoria, cabe preguntarse entre otras muchas cosas: ¿por qué truenos no le dije que odiaba el automovilismo? Ah, viejas amigas... ¿recuerdan la fábula del cazador cazado?

Jazz que me hiciste mal

Así una se vuelve o se cree canchera. Se jura y se recontrajura que hará de la verdad su bandera. Pero, claro, ¿quién ha visto a esa bandera victoriosa cuando de cazar se trata? (puede escribirse también con ese). Finalmente aparece EL-GRAN-Y-UNICO-AMOR-DE-NUESTRAS-VIDAS (deliciosa ficción femenina que a veces ocurre una vez por mes). A él sí le diremos de entrada que odiamos a los coches pero ¡coños! él también los odia... él ama el jazz.

Y otra vez a arrugar se ha dicho. Quizá no tanto por el deseo de macanear como por el fatal desprestigio que supone confesarle allí mismo que una se pierde por Serrat, se hace pis por Joaquín Sabina y hasta siente una oscura pasión por Sandro. En pocas palabras, que nació y morirá con un ropero en cada oreja.

De allí en más "la historia vuelve a repetirse" en do mayor sostenido. ¿Cómo decirle que aborrezco el jazz? ¿Cómo contarle que he sido arrastrada de concierto en concierto, me han vapuleado todo tipo de saxofonistas, he desarrollado un odio morboso por las baterías y un increíble arte para poner cara de éxtasis mientras mis tímpanos son masacrados? Con la sola excepción de Oscar Feldman, que me encanta, nómbrenme a cualquier conjunto o solista nacional o extranjero especializado en esa infamia y podré decirles cuánto los odio. Lo que todavía no pude decirle a él es que el jazz me destroza los nervios.

Además está el cante jondo (reconozco que yo también me enamoro de gente exótica). ¡Hay que aguantar con cara de compungida a esos enanos engominados con tacos altos y disfraz de compadritos que aferrados a una guitarra cantan con gorgoritos un interminable dolor de estómago! Fue inútil toda explicación culturosa sobre los ancestros árabes y no sé qué macanas más emparentadas con el "alma judía". Un enanito que solloza en gallego no es para mí nada más que eso. ¡Si supieran cuántas veces les he deseado que reventaran al unísono las cuerdas de la guitarra y sus cuerdas vocales! ¡Ole por Madrí, jamá he tenío fortuna!

Aberraciones varias

Cuando pienso en mi historia sólo me consuelan las historias ajenas. Mi propia hermana, que a los dieciocho años era ágrafa cual un mosquito, díjole a su actual marido (que ya por entonces era un intelectual) que "amaba la literatura". Olvidó aclararle que según su entendimiento, la literatura para ella comenzaba por un Para Ti y concluía en un Caras y Caretas. Víctima de esta confusión, el joven enamorado le cayó al día siguiente con... "La Montaña Mágica" de Thomas Mann, libro pesado como pocos, tanto por su erudito contenido como por su propio peso específico. Semana tras semana la pobre rendía una suerte de informe sobre sus progresos con el mamotreto, para avanzar en el diálogo amoroso-poético-literario. El le propinó a continuación "A la búsqueda del tiempo perdido", monumental novela de Proust de quichicientos tomos que sospecho que sólo leímos el traductor, la abajo firmante durante una hepatitis y mi pobre hermana enferma de amor (afección mucho más severa que la mejor de las hepatitis).

Sus padeceres continuaron algunos años más, hasta que el metejón cesó un poco y le arrojó limpiamente la obra de Thomas Mann por la cabeza.

Como ella es de lejos más inteligente que yo, terminó por amar la literatura. Quizá no la que *exactamente* le gusta a él, que a esta altura del campeonato sólo lee la Enciclopedia Británica (se ve que es de familia eso de engancharnos con tipos raros), pero sin duda disfruta de aquellos libros que hacen a su placer. De cualquier forma, en aquella imaginada tarde cuando dijo "amo la literatura", Shakespeare tuvo un hipo en su tumba, pero el gil mordió el anzuelo y hoy cultivan nietos con la mayor serenidad. Sin duda a Mann le divertiría saber que su obra cumbre sirvió para tan curiosos fines. Amén.

"Coqueta, soñadora y ardiente"

Ardiente, ésa es la palabra con que otra dama de mi familia, que no nombraré por recato, enganchó al GRAN-AMOR-DE-SU-VIDA.

Siendo una divorciada de pueblo que además trabajaba, una inmerecida fama había tejido la leyenda de que era una leona para la cama. En tanto nadie había podido verificarlo y ningún varón se atrevía a desmentirlo (la leyenda decía también que había yacido, bíblicamente hablando, con *todos*) la dama se daba a sus castos menesteres que todos imaginaban altamente pecaminosos.

Dado que ese tipo de leyendas es difícil de desmentir (¿no son repugnantes las ficciones de los varones?), nuestra María Magdalena utilizó el señuelo más extraño que existe para casar un hombre: su condición de "panteira do lecho".

Hay que reconocer que el enamorado de marras era lo que ahora llamaríamos un varón progresista y lo que siempre se llamará un gran tentado. Allí comenzó un juego que, según reconstruyo, consistió en un astuto tira y afloje de canje: ella prometió demostrarle sus artes amatorias previa firmita. Créase o no, el gilastrún entró por el aro. Tarde descubrió que su pantera negra en la cama, gustaba de la oscuridad y la ortodoxia. Con el correr del tiempo terminó con espantosos dolores de cabeza, paralizantes temores a embarazarse, ataques de sueño justito, y todo el circo que armamos las mujeres cuando no queremos guerra.

El pobre Lancelot tuvo que sufrir para afuera con la historia de haber cargado con una reventada y para adentro con la reventada tipo Acción Católica. ¿Que cómo terminó la historia? En verdad no lo sé. Pero la cuestión es que ella, alma dos veces bendita, se casó. Y justamente de eso se trataba. Queda librado a vuestra imaginación lo que sufrió la pobre hasta que la verdad fue desenmascarada.

Aunque pensándolo bien, en esos temas, tanto no se sufre.

21. CUANDO A UNA LE ATRACAN EL MARIDO

Toda dama mayor de seis años sabe que cualquier varón, por más propio que una pueda considerarlo, está expuesto a los asedios de otras damas. En términos generales, esto parece por demás explicable dado que la mercadería masculina es escasa; la buena tiene dueña y la que anda libre... por algo será.

Sin embargo, hay hermanas que utilizan tácticas realmente exasperantes. Como, por ejemplo, querer levantarse al susodicho ante nuestra propia nariz.

Me gustaría aclarar que adhiero a Platón, cuando dice que los perjuros de amor son amados por los dioses puesto que en el amor todo juramento es vano –versión libre pero respetuosa del autor citado–. En verdad, por más que se jure lo contrario y los *"para siempre"* abunden en todo romance, las personas se aman o se dejan de amar de manera bastante frecuente. Tampoco creo que el casamiento o la convivencia extiendan un Certificado de Propiedad a cada uno de los integrantes de la pareja. Abjuro de ese *"señora de"* y abjuro también de ese aire de capataz que exudan las damas cuando, acomodando las puntillas, dicen *"es mi marido"*, poniendo mucho más énfasis en el *"mi"* que en la función de marido que cumple el desgraciado.

En buen romance, entonces, no tengo nada en teoría contra una señorita que seduzca a un casado, y viceversa. Reconozco que los despelotes que suelen desatarse son sumamente incómodos (hay gente tan desubicada que se suicida y otros que escriben poemas, lo que es decididamente peor); sin embargo, aun con un almita comprensiva hay algo que saca de quicio a la más pintada: que traten de levantar al dorima de una, frente a nuestras propias narices.

Cornuda sí, paspada nunca. Lo menos posible, bah.

Se cierne la tragedia

Generalmente, estos intentos de abordaje a toda vela suelen producirse en reuniones sociales; *de los otros, usted ni se entera.* Puede ocurrir que la bucanera esté sola, en un grupo formado por parejas, o que esté con su santo cornudo a un costado (me refiero al marido). En cualquier caso, es fácil adivinarle las intenciones.

La primera maniobra puede consistir en sentarse al lado del susodicho e iniciar una charla de la que usted quede absolutamente excluida. Si su dorima es físico, por ejemplo, comenzará a enrollarlo con la teoría de la relatividad mientras usted, alma mía, rebusca en su memoria algún pálido recuerdo del secundario para competir y alcanza a desempolvar que las paralelas no se tocan o que todo cuerpo sumergido en el agua finalmente se destiñe. Ya llegaremos a lo que hay que hacer en estos casos pero, por lo pronto, *¡cierre la boca!*

La corsaria puede también aparecer bajo la forma de una vieja amiga de la infancia o una actual compañerita de trabajo; una y otra recrearán anécdotas con su marido (todas "divertidísimas"), sacando a relucir un sinfín de intimidades ante las que usted, obviamente, queda afuera. Atienda un consejo: ni se le ocurra interrumpir la "sensacional" despedida que ella está evocando, con alguna historia del tipo *"¿Te acordás, querido, cuando me operaron de amigdalitis y vos me tenías la mano?".* ¡Sensatez, m'hija! Cualquier amigdalitis suya, amén de ser medio repugnante (disculpe usted), no puede competir con una despedida tan "fantástica". *Una vez más, guarde silencio por lo que más quiera.*

Pero cuidado: otro método usual –si la ocasión se presenta– es que la pirata se ponga a bailar con el infrascripto. En ese mismo instante, cegada por la furia, usted puede dudar entre rebanarle el gaznate con un bocadito de apio o tomarse venganza bailando con el cornudo que se ha quedado planchando (en el caso de una pirata acompañada). Nada de eso. Hágame caso otra vez y aférrese a su silla. Ensaye una sonrisa de Gioconda y, si alcanza a controlar el temblor homicida de sus manos, apláudalos cálidamente al terminar la pieza.

Estos son sólo algunos ejemplos de cómo pueden las otras intentar levantarse a su marido, pero sin agotar, por supuesto, todas las demás posibilidades que son capaces de idear las damas de malas intenciones (y las guachitas son infernalmente creativas). De cualquier forma, respete estas indicaciones.

Reflexiones necesarias y autodefensa

Sería de mi agrado, antes de desarrollar las *Estrategias de Defensa Propiamente Dichas,* que usted centrara su atención en un punto: *su marido es un ser bastante insignificante.*

Esta apreciación no intenta agredir particularmente a su cónyuge; todos los hombres lo son y sólo "eso que llaman amor" los rescata de su mediocridad innata y los convierte en algo interesante para los tiernos corazones femeninos. Si usted acepta este dato con calma, tal vez pueda digerir lo siguiente: *su amado tiene infinitas posibilidades de cornificarla fuera de su casa, sin que usted se avive para nada*. Si sigue mi razonamiento, acordaremos que cuando se produce el episodio intitulado "En - sus - propias - narices", usted debe dejar de lado cualquier culpabilidad del santo varón y concentrarse en los *porqués* de la corsaria.

Tomando en cuenta todo lo anterior, es fácil deducir que, en realidad, *la niña busca reventarla a usted*. Si realmente pretendiera jaleo con su marido, le aseguro que usted sería la última en enterarse. Sólo queda entonces por considerar si estamos dispuestas a que se salga con la suya o si le devolvemos la pelota sin ceder al dorima... *Personalmente, recomiendo con fervor el segundo camino.* Cuesta, pero vale. Y ahora sí van mis consejos. *Veamos.*

Si el avance se produce en una reunión, es legítimo que usted sienta en forma ascendente lo que sigue: desconcierto, desconfianza, furia simple, furia con agravantes y furia homicida. ¡Deponga todo esto, amiga mía, si es que no quiere verla engordar de felicidad! La técnica defensiva tiene que desplegarse en dos frentes y el primero debe ejercerse sobre la propia dama, con cierta sutileza.

a) Felicítela calurosamente por el lifting. Eso les cae muy bien, sobre todo cuando no se lo han hecho.

b) Muéstrese más entusiasta con su atuendo, "igualito a uno que se compró la mucama de mi hermana; quedan divinos y son baratísimos ¿no? *"Deje que ella se encargue de explicarle el* "no", *y sonría como si su hija quinceañera le contara que volvió a las seis de la mañana con su novio porque han estado estudiando.*

c) Si la desgraciadita ha estado evocando anécdotas de trabajo con su marido, sonría tiernamente y diga: "¡Ah! ¿Eras vos la que se emborrachó y vomitó todo?". *Que ella se desgañite explicando que no fue. Remate sus esfuerzos, siempre con mirada de madre canchera, redondeando con expresión beatífica:* "¿Ah, sí? ¡Hubiera jurado que eras vos!".

d) Cada vez que pueda, propínele un consejo fraterno, del tipo "Querida, ¿vos sabés que una prima mía usa una pomada contra la celulitis? Después te paso la receta".

Hecho todo, y si no se ha rendido aún la dama, abra el otro frente de combate: *su marido.* Sin pestañear, déjele caer que:

a) El tiene dientes postizos (si no los tiene mejor). Explíquele con lujo de detalles cómo se los pega, cómo lucen sobre la mesita de luz y, sobre todo, cómo queda él sin los dientes puestos.

b) A continuación, y como al pasar, háblele del talco que usa para los pies; eso dejará en claro, sin hacer mención directa, que su marido sufre de un espantoso olor a patas.

c) En caso de desesperación, puede explayarse sobre los contratiempos de su ano contra natura, y la bolsita "que no falla casi nunca".

d) Y si la mano viene muy mal, insinúe un caso de impotencia; este argumento tiene doble filo, ya que en el fondo del corazón de estas niñas alienta una fantasía redentora al respecto.

Si la señorita no ha salido huyendo al promediar estas confesiones, quédese igualmente tranquila. *Puedo asegurarle que con "esa" no será nunca.* Con todas las demás... quién sabe.

¡Ah! Una última recomendación: al volver a su casa, no olvide armar un formidable escandalete de celos. Aunque el acusado sea absolutamente inocente, igual se pondrá contentísimo. *No es culpa mía, pero los varones suelen ser así.* Claro que ése es otro tema. De nada.

22. EN DEFENSA DE LOS ROLLOS

Pareciera ser que para alcanzar la categoría de humanos ya no sólo hay que plantar un árbol, tener un hijo y escribir un libro sino, además y por encima de todo, SER FLACA. Esta indignada nota de reivindicación de los rollos, esta exaltada defensa de la celulitis, de exasperada admiración por las abundancias corporales, se la dedico con todo mi peso a la sociedad de consumo.

Entremos de lleno en la primera de las paradojas: "la sociedad de consumo". En ella vivimos, cultivamos el stress, mamamos de su smog y nos acreditamos un infarto. Mucha malaria junta, se diría, pero aún nos falta lo peor: *esta bendita sociedad de consumo nos impide el sagrado placer de consumir y nos invita a la asquerosa tarea de consumirnos.*

Cierto es que nos tientan con autos último modelo (que en la repucha vida conseguiremos adquirir), que nos estimulan el cáncer promocionando puchos, que nos empaquetan con productos tan extraños como una tumba arbolada (¿quién carajo quiere estar a la sombra adentro del hoyo?), y nos persuaden de que sin un televisor color no somos nada. Sin embargo, ninguno de estos productos, tanto los que podemos adquirir como los que siempre vamos a mirar con la ñata contra el vidrio, ninguno de ellos, repito, *puede darnos esa espléndida, confortable, calmante y lujuriosa sensación de levantarnos a medianoche y manducarnos un regio sandwich de salame con mucha mayonesa.*

Nadie, con la sagrada excepción del divino marqués que se las ingeniaba como un loco, puede encontrar el menor placer en chupar el capó de un auto 0 kilómetro, comerse un atado de puchos o mordisquear las arboledas de un cementerio a la clorofila.

Las anfetas y las minas

La sorda campaña antigordos que aquí se denuncia, se vuelve frenéticamente desembozada en cuanto se aproximan los calores.

Si durante el invierno una gordita podía considerarse como vagamente tiñosa, a esta altura del año puede anotarse en la fila de las leprosas. Desde los diarios y la televisión se nos recomiendan los regímenes más abstrusos y se nos propinan los consejos más aviesos.

● *Encabezan la lista las pastillas* para tomar a las diez de la mañana. Con esa mágica cápsula y un poco de viento a favor, en quince días se puede ingresar en el mundo de los humanos.

De aquí en más toco de oído pero, por lo que conozco del tema, o esas pastillas *contienen anfetaminas* con las que sin duda se baja de peso (previo caminar por las paredes como una mosca epiléptica) o no contienen anfetaminas, *con lo cual, sospecho, debe ser más efectivo un Geniol.*

● La otra ofensiva se libra por el lado de los institutos de belleza donde, una vez más, se nos promete el Paraíso. Primero nos recomiendan:

"Tómese la piel a la altura de la cintura entre el índice y el pulgar: si tiene usted carne, no lo dude, ES UN ROLLO". O: *"Mírese la parte de atrás de los muslos: si los nota fláccidos, es celulitis".*

Pues bien, si una es tan gila de caer en la trampa, podrá comprobar que hasta la Mía Farrow tiene un rollo en la panza, y eso que *"no tiene panza".* Ni qué decir entonces las que sí tenemos: desde la Venus de Milo hasta las rotundas "Gracias" de Velázquez irían de cabeza a un instituto. En cuanto a mirarse los muslos de atrás, si lo intenta, seguro le da tortícolis; pero aun con el pescuezo tieso... *¡de la celulitis no se salva!*

Pues bien, una vez demostrado que universalmente todos somos celulíticos, el instituto nos propone que en quince días, "sin píldoras, sin gimnasia y sin régimen", una saldrá debidamente escuálida. *Me pregunto: si es sin píldoras, sin gimnasia y sin régimen, ¿qué les hacen? ¿Electroshock?*

La TV nos tienta

Una de las ofensas de la sociedad de consumo es que, con absoluta inescrupulosidad, se nos vende también toda una parafernalia de objetos que, con sólo mirarlos, engordan.

Ha cundido por ejemplo la moda de las "procesadoras", que

según nos muestran, pueden, con igual garbo, depilar un perejil como hacernos la cirugía estética si ponemos la nariz de chanfle.

La demostración comienza siempre con frutas y verduras de la estación sometidas al aparatejo (lo que no es para tanto, pues un gordo de ley jamás se tienta con cosas que no engordan) pero culmina a todo escándalo en una mesa tendida con carnes, cremas, postres con rulitos presentados como para tener una hemorragia de jugo gástrico.

Pero además observemos un instante *quién* nos vende esa máquina de dar placer. ¿Es tal vez una rolliza dama como era Doña Petrona? ¿Tiene acaso la humana carnadura de mi admirada Blanca Cotta? Pues no, las artífices de la infamia son "aparentemente" amas de casa como usted, ¿vio?, sólo que con seis horas de peluquería y *noventa-sesenta-noventa en todo su esplendor.*

¿Por qué no se hacen freír a máquina?

El chocolate y el traste

Saltemos de las procesadoras (total las zanahorias ralladas me dan asco) y vayamos a los "platos fuertes". *Capeletis deshidratados con salsa a toda orquesta, tallarines de todo tipo, y para culminar, chocolates,* montañas de chocolates, rellenos, con nueces, con almendras, con miel, con manteca, *¡con cinco billones de calorías!*

Una vez más observemos a las damas encargadas de convencernos.

● *Las de los tallarines reinan en su hogar con marido churrísimo,* al que miran con la rotunda expresión de propietarias. El mensaje subliminal puede entenderse así: si usted cocina estos tallarines tan exquisitos, tiene garantido un marido ídem de bello y sumiso. Corre por nuestra cuenta –¡mal rayo las parta!– el tener la misma figura de las desgraciaditas, que parecen alimentadas con hilo de coser.

● *El tema de los chocolates es aún más perverso,* pues para poder disfrutarlos pareciera que hay que tener dieciocho años, una cinturita de este tamaño, y un traste grande así. Con eso y una bici donde poder bambolearlo o un viento que nos ayude a exponerlo, ya somos acreedoras a que un joven se enamore y, zápate, nos sepulte en golosinas.

He allí una flagrante contradicción psicológica: *si una tiene esa edad, esa cinturita y ese traste, no tiene "tantas" ganas de comer chocolates como cuando nos ha quedado sólo el traste.* A esa altura (me refiero a la coyuntura existencial del traste solo) es precisamente cuando se hace imperioso consolarse con un buen chocolate que reemplace los años que se nos fueron, la cintura que perdimos y el novio que por todo esto no tendremos. ¡Esta vida es una caloría absurda!

Los derechos del gordo

Señores, ha llegado el momento de poner freno a tanto manoseo. Por lo tanto, y hasta su reglamentación por el Congreso, queda aquí consignada esta *Lista de Garantías Constitucionales del Gordo,* que tendrá derecho a:

● *Entrar, salir o permanecer obeso dentro del territorio de la Nación Argentina.*

● *Ejercer en plena libertad el sagrado ejercicio del manduque.*

● *Conservar, administrar y acrecentar su rollos según su leal saber y entender.*

● *Alzarse en armas contra cualquiera que pretenda hollar su condición de gordo portando banderas ajenas al ser celulítico.*

Léase y divúlguese. No se archive jamás.

En nombre de Platón, a la sombra de Sócrates, in memoriam de Apuleyo y tantos y tantos griegos ilustres que se acostaban a comer hasta reventar mientras pensaban ni más ni menos que en la Filosofía, bajo la advocación de Balzac y la protección de todo el mujererío del Renacimiento que aún ostenta su opulencia desde los magníficos cuadros de Rafael, amparados en la socarrona sonrisa de la Gioconda, arrebujada en sus rollos de manteca y miel, por la rotunda sombra de las huríes que custodian el sabio paraíso de Mahoma, en nombre de todos ellos, en verdad os digo: *sólo los amplios de caderas entrarán en el reino de los Cielos.*

Amén y buen provecho.

23. DESPUÉS DE VIVIR UN SIGLO, ARRIMARSE A LOS CUARENTA

De acuerdo con la tradición, algo muy especial ocurre a los cuarenta. Según los informes más auspiciosos, es la vida la que empieza. Otros muy por el contrario, afirman que la juventud termina. A pocos meses de fecha tan ominosa, héme aquí sentada frente a mis propias conclusiones; porque si bien no sé qué me espera a los cuarenta, esto de sobrellevar los treinta y nueve ya me ha dado algunas pistas.

Según una canción que canta Mercedes Sosa, *"el tiempo pasa, nos vamos poniendo viejos".* Pero a fuer de sincera, jamás he podido digerirla así. Secretamente le cambio la letra de este modo "el tiempo pasa, *los otros* se van poniendo viejos". Porque, ¿habráse visto algo más insultante que esto de envejecer?

El espejo, aliado incondicional, nos dice que todo está como era entonces, la cara, el narigón y el río. Claro que uno se mira con ojos de profundo amor, ¡qué tanto!

Ni siquiera la presencia de los hijos, grandotes como roperos, nos hacen aterrizar en que semejante tamaño de señorita y semejante urso de varón tienen injerencia directa con nuestros años. Ingenuamente pensamos: *"cómo han crecido los chicos",* maravillándonos vagamente de que hayan sobrevivido tan grandes y lindos a tanta inoperancia materna.

Como va quedando en claro, todo está preparado para que los cuarenta no lleguen nunca o que toquen la puerta del vecino, a quien sí veo envejecer. No como yo.

Se vienen los indios

Sin embargo, aunque ocultemos la cabeza bajo la almohada, igual el hacha de los cuarenta nos perfila la sombra.

No olvidaré mientras viva mi primer aterrizaje forzoso en los aledaños de esta nueva edad. Cruzábamos la plaza de la aldea a las doce de la noche, mi hija y yo, y de atrás comenzaron a perseguirnos dos gavilanes. Corrieron, se adelantaron, me miraron de frente y uno le gritó al otro:

–*Dejalas, la vieja tiene mil años.*

Obvio es aclarar que la vieja era yo y que en ese instante deseé que se abriera la tierra y el magma hirviente calcinara al mozo para poder patear sobre sus cenizas.

Hay, por supuesto, modos más sutiles de ir notando que algo ocurre con una, que siempre se siente igualita.

Primero puede observarse que a la luz del día y bien de frente, no nos piropean ni los cieguitos que piden limosna en la peatonal. Lentamente se descubre que las ponderaciones provienen siempre de la oscuridad, y los hurras se centran en las zonas posteriores (vulgarmente llamadas "traseros").

Como estos datos no se incorporan gradualmente sino que se descubren en un día cualquiera (preferentemente de lluvia), llega un momento en que una termina adhiriendo a *Ortega y Gasset,* cuando afirmaba que las damas de treinta son *"muy agradecidas".* ¡Y qué decir de las cuarentonas! ¡Si ganas me dieron de pedirle un autógrafo al último valiente que se jugó con un piropo!

Es hora de aceptar entonces que a una también le ha ocurrido ese algo incomprensible que son los años. Ante el hecho, las mujeres libran una guerra que va de lo patético a lo absurdo. Sólo esgrimo como primera disculpa que si *Jane Fonda* o *Ursula Andress* estuvieran castamente sentadas en una silla de ruedas, las demás nos quedaríamos más tranquilas. Pero ante el espectáculo que brindan estas veteranas, una se pregunta: *¿qué cuerno tienen ellas que yo no tenga?* Y sea cual fuere la respuesta, saldremos corriendo a comprarla, pedirla prestada o pagarla en cómodas cuotas.

Salidas de emergencia

Parada melancólicamente al filo de esas edad, doy fe de que una se siente a veces como Madame Bovary, el personaje de Flaubert que quería al mismo tiempo morirse y vivir en París. Pero claro, morirse es un engorro y París queda muy lejos. La solución tal vez sea algo intermedio que puede ir desde:

- *Embarcarse en un nuevo hijo.*
- *Tomar un amante* (de ser casada).
- *Renovar la pilcha, el maquillaje y el peluquero* (vale para cualquier estado civil).

Sea cual fuere el camino que una dama elija, sus consecuencias suelen ser notorias.

Notorias como un bebé, por ejemplo. He visto a las pobres debatirse luego a los cincuenta y cinco, lidiando *con un adolescente* y dudando entre ser rigurosas como una mamá, permisivas como abuelas o donar al crío al horfanato más cercano.

Lo del amante, no por transitorio es tan descartable, pero ofrece una dificultad mayúscula: la única gracia de tomar un amante a los cuarenta es que el mismo sea un jovenzuelo tan lánguido como hermoso. Quien lo ha probado no suele recomendarlo, pues un solo paso en falso transforma a la cazadora en presa. Y como las mujeres tienden por naturaleza a los pasos en falso, patinan por el lado del amor y entran a padecer un infierno que escapó a la pluma del Dante.

Lo más seguro, entonces, es lo que está más a mano y decididamente lo más común: la técnica "lavado y engrase". Consiste en un violento cambio de pilchas, maquillaje y "look" de peinados. El resultado final es como un gran letrero colgado en la frente, que dice: *"me siento vieja y quisiera ser péndex"*. Francamente deplorable. Por supuesto que este tipo de peste no viene sola, y en este caso será acompañada de una feroz competencia con las hijas mujeres (si las hay), y grandes desaguisados entre los hijos varones (si los hay).

Estas agónicas mariposas de la cursilería pretenden en un principio que todos los chicos las traten de *"vos"*. Son las que exigen a sus hijos: *"llamame Meneca en vez de mami"*, y se matan por demostrar ante los péndex que ellas son mucho mejores que cualquier jovenzuela y mucho más piolas que cualquiera de las otras madres: ¡qué va, que todas las madres juntas! Porque ella, como va quedando claro, no es una madre para nada. Los despojos de este mal modo de entrar a los cuarenta pueden verse en los divanes de los psicoanalistas. Los niños no creen en eso de ser amiguitos de su propia mamá cuando ella insiste en ser "menor que ellos".

La juventud se fue, yo ya no espero más

Como se ha visto, con los componentes básicos de un almita cuarentona bien podría hacerse una bomba de varias toneladas. Deplorable situación de las que nosotras no tenemos la culpa. Es este mismo mundo, occidental y cristiano, siliconado y a transistores, quien nos llena la cabeza de polillas psicodélicas.

A comienzos de siglo, *Freud* escribía refiriéndose a su novia: *"me casaré con ella, aunque sea una matrona de treinta años"*. Cualquier treintañera de la actualidad le haría comer esas palabras junto con sus obras completas (de difícil digestión, según se sabe). La vida se ha estirado tan exageradamente que han desaparecido los límites. ¿Alguien puede informarme *cuándo* hoy en día se es por fin una matrona? Entre cirugías y *peelings* se ha perdido el sereno hábito de envejecer: la plenitud de la vida se compra en un yogur; la juventud, en una marca de champú. Las señales que marcaban el camino se han borrado a fuerza de tinturas.

Todas quieren *"hacer cosas"*, y tal vez por eso, al acercarnos a los cuarenta el balance siempre nos da pérdidas: ni escribimos el libro ni plantamos el árbol ni hicimos nada digno de figurar en ninguna enciclopedia. ¡Ah, sí!: hicimos tal vez algunos hijos, tal vez amamos y aún seamos bienamadas: tuvimos y mantuvimos un puñadito de amigos, nos emperramos en la sonrisa a contramano de la pena, tendimos nuestra mesa cada día y cada día *"dilapidamos"* nuestras horas más preciosas en obras que no figurarán en ninguna antología: barrer la casa, acomodar las piezas, planchar un delantal.

En fin, puras pavadas, inútiles hilachas de esplendor que jamás será nuestro porque tal vez no es de nadie. Y finalmente la juventud se fue y aquí estamos pisando los cuarenta, sin entender si estamos entrando en "la edad de la razón" o abandonando para siempre esa región donde todavía (¿qué cosa?) aún era posible...

24. ¡Y LLEGÓ LA CUARENTENA!

Vale repetir que los cuarenta años de una mujer están rodeados de extrañas mitologías. Lo cierto es que todos hablan de una crisis. Son mentirás. Como reciente cuarentona puedo jurar que nada de eso ocurre. Lisa y llanamente, ¡es el fin del mundo!

Como suelen decir las crónicas policiales, *"nada hacía imaginar esa mañana lo que se avecinaba"*. Es que el asunto de *"ese"* cumpleaños tiene algo de criminal; nos sucede por pura premeditación y alevosía de la vida, pero al mismo tiempo nos agarra de sorpresa.

Sin embargo, si una tiene todos los balances bien sumados, una pareja amada, dos hijos resplandecientes y una profesión que adora, una, por supuesto, no va a caer en la crisis de los cuarenta, cosa que únicamente les ocurre a las histéricas y a las frustradas.

Así fue cómo aquella mañana, cuando abrí los ojos estrenando mi nueva edad...

Llora, llora, urutaú

Empecé a llorar. Parejito, como los aguaceros de Vallejos.

La familia entró en una tierna desespereti. Acostumbrados a mi vena latina, pueden aceptar sin pestañear que estrelle un cenicero contra la pared o que le revolee un zapatillazo a alguno, pero... ¿qué era esto de llorar con la calma de un mujik y la tenacidad de todos los rusos melancólicos que asolaron las páginas de Dostoievsky?

Ofrecieron té, café, regalos. Yo *nada*.

A las once llegó una carta de mi hermanita Guigui, que está en el sur, y allí la cosa viró hacia la inundación. El suave llanto de Vallejos se convirtió en las Cataratas del Niágara; mi familia pensó que Guigui aprovechaba la oportunidad para anunciarme su muerte. Nada de eso; mi hermana me deseaba el más tierno, feliz cumpleaños.

Iba quedando en claro que lo que no podía soportar no eran los buenos deseos filiales, sino *mi cumpleaños.* Como broche final de mañana tan gloriosa, llegó mi mamá de Buenos Aires para "darme la sorpresa" (en verdad, y según me enteré después, mi tribu había convocado refuerzos, viéndome venir; es distinto aguantarme entre tres, que entre cuatro). Así fue cómo mi madre se atragantó con el "Feliz...", porque antes de terminar de decirlo yo me había abrazado a su cuello y gritaba como cuando a los ocho años me arrastraba al dentista. El espectáculo era deplorable. Como correspondía a un varón frente a un caso desesperado, mi bienamado huyó, prácticamente tirándose por la ventana; el gato también se había interesado en el asunto y se paseaba maullando por la pieza (nunca sabré si por solidaridad o porque lo había sacado de quicio), y mis criaturas desaparecieron más escandalosamente aun que mi bienamado. Allí quedé, bajo los consuelos de mi madre que insistía:

–*No llorés, que de ahora en más viene la decadencia...* (¡Es de rara para consolar!)

En medio de la batahola volvió el cartero con un telegrama, pero ya presa de las más desatadas paranoias se lo devolví, luego de llorarle todos los botones del uniforme. Si llegaba a ver la palabra *"cuarenta"* me metía en el lavarropas y me hacía centrifugar hasta la muerte.

La taquicardia paroxística

Pasadas las primeras efusividades, la vida pareció encauzarse por la normalidad hasta que; 48 horas después, desperté con el corazón hecho un tren loco.

Con absoluta felicidad concurrí al médico, quien me diagnosticó: *"taquicardia paroxística",* no me digan que no es elegante... Además, siendo del corazón, hasta me podía morir. Sobre este último detalle no indagué demasiado, por miedo a que me explicara que la cosa era más inofensiva que la caspa.

Anduve así una semana, agarrándome el corazón, contándome las pulsaciones y perdiendo el aliento cada tres minutos. (Siendo feliz, bah). Lamentablemente un fatídico lunes mientras tomaba café con una amiga analista, le anuncié: *"¿Sabés que tengo taquicardia paroxística?"*

Mi amiga levantó la ceja derecha: *"Contame".*

–*Bueno, es del corazón. Como si tuviera una angustia muy grande pero en vez de ser angustia, es del corazón.*

Mi amiga levantó la otra ceja y clavándome sus claros ojos lacanianos preguntó:

–¿Y cómo sabés que "no es" angustia?

Sentí un profundo deseo de retorcerle el cogote. Obvio es decir que se me curó la taquicardia en el acto, porque una andará hipocondríaca pero papelonera, nunca.

Por fortuna, *a los tres días me apareció un cáncer*. Una protuberancia dura, que dolía y había sido descubierta por casualidad. ¿Para qué una lee tantas revistas femeninas, si no sabe diagnosticarse un cáncer de entrecasa? La única dificultad era que me había aparecido en la panza, lugar que las revistas nunca nos mandan a investigar.

Luego de disfrutar varios días mi tumor hipermaligno, mi familia me llevó de los pelos al médico. Mi galeno me revisó con el mayor de los desprecios y me dijo: *"No tomés nada"*. Ahí sí armé la pataleta. A los analistas no me animo a discutirles porque el alma no se ve, pero ese precioso cáncer que le había llevado al médico tenía *forma, color y consistencia de cáncer*. ¡Cómo que no tomara nada! ¿Desde cuándo un neoplasma se trata así?

–*Jamás he visto confundir un cáncer con un granito* –concluyó él.

Estaba todo claro. Ni del corazón, ni de cáncer... Las enfermedades menos dramáticas me parecían inaceptables. Me curé. Pero anduve quince días con un granito en la panza, incómodo de llevar e imposible andar mostrándolo con orgullo.

La neuroeconomía

Agotadas que fueron las payasadas anteriores, me aboqué a otras de distinto signo. A la manera de Lin Yu Tang, me sentía cual "una hoja en la tormenta". Y traducido a nuestro prosaico idioma occidental y cristiano, quería significar una sola cosa: "dinero".

Tengo cuarenta años (¡ay!), he laburado hasta ahora como un indio, como un percherón polaco, como un chino en los ferrocarriles norteamericanos, como un vietnamita cavando trincheras, como el Conde de Montecristo con su túnel, como el mitológico Hércules y sus encargos pasados de moda. He trabajado hasta agotar mis dedos, mi seso, mi laringe, mi hígado y mi páncreas. ¡Y miren lo que gano a esta altura de mi vida!".

Luego venía la parte en que me tiraba sobre la mesa, me estrujaba las narices con la servilleta y mojaba el mantel con mis lágrimas, quedando con las cara llena de migas de pan. Era realmente patético, pero a la segunda intentona mi familia me puso de patitas en la calle para que desplegara mi demoledor show ante quien correspondía: *mis jefes*.

Primero lo intenté con Cascioli, quien me contempló con el

mismo entusiasmo que a una gata peluda dentro de su café. Al terminar mi demostración, murmuró entre dientes: *"¿Así que te da por ese lado?"* Nunca sabré qué lado mi jefe consideraba correcto, pero como me aflojó unos denarios no me detuve en minucias. Total, aunque muy lejos estaba de resolver mi neuroeconomía, siempre se agradece. Y con los otros muchos jefes que rigen mi vida (más de uno siempre es "muchos") tuve suertes diversas. Pero sin excepción les adiviné en la mirada las palabras de Cascioli: *"¿A vos te pasa eso?"*

¡Pero qué se creen! ¿Cómo osan arruinarme así la paranoia?

¿Conclusiones?

Más allá de cualquier sátira, queda en pie la pregunta: *¿qué cuernos es una mujer a los cuarenta?*

¿Una adolescente escéptica? ¿Una petardista conservadora? ¿Una custodia de recuerdos? ¿Una señorona muy aseñorada o una señorita que no entiende –pese a la ferocidad de los espejos– en qué momento le pasó la vida por la cara?

Una cuarentona quiere, me parece, aún cosas cada vez más difusas y, por ende, más inalcanzables. De cualquier forma, es hora de sentarse frente al arcón de las memorias y hacer una otoñal limpieza de primavera donde alfombra y corazón quedarán bien sacudidos. Es el momento de saber, entonces, qué habremos de archivar junto con las fotos amarillas, y cuáles llaves guardaremos por siempre, sin saber qué puertas han de abrirnos, pero que aún anunciarán nuevos caminos.

O reconocer por fin, la sabiduría de esos versos: *"El amor es tan fuerte como antes, pero uno lo cuida mucho más"*.

25. LAS MUJERES SOLAS

Si no fuera porque los hombres son tan pocos y apocados, tan tímidos y huidizos, tan plomos ¡y tan casados!, tal vez las mujeres solas no existirían. Pero allí están las pobrecillas tejiendo la enredada bufanda de Penélope para el incierto Ulises. Tienen códigos, se agrupan en logias, se aburren hasta el caracú; pero, básicamente, esperan. Esperan a ese señor alto, rubio y de bigotes; o bajo, morocho y lampiño; o jorobado, albino y peludo. Cualquier cosa, en fin, que se parezca a un hombre. ¡Qué los tiró!, ¿por qué escasean tanto?

Para comenzar la nota es preciso definir a qué mujeres solas voy a referirme, descartando en el acto a aquellas damas que, por viudez o cansancio, han abandonado el combate y se dedican a espiar las guerras de las demás. Arpías, bah.

Nos queda así un espectro que abarca más o menos de los dieciocho a los ochentaitrés años de edad, y donde pueden encontrarse todos los matices de la desesperación y la esperanza.

Como mi ciencia no es tan vasta, sólo me ocuparé de las treintañeras en cuyas filas he militado en épocas aciagas.

"Mujeres solas". MUSO, para abreviar.

Algunas tienen bulo propio, otras todavía viven con mamá, las hay profesionales y empleadas de comercio, con todo tipo y tamaño de neurosis, expertas en seducción o ásperas como ortigas. Pero todas, sin excepción esperan que él llegue. Ese gran ausente con o sin aviso que las condena a pintarse las uñas, depilarse por las dudas, enrularse para ser más jóvenes, cambiar de pilcha para estar más a la moda. Ese él que llegue y justifique al menos el diú que la mayoría lleva puesto al divino botón.

Las que viven con mamá

Una MUSO que aún vive con mamá, sabe mucho de los arrabales del infierno y a veces tienen un palco "avancé" entre las llamas. Difícilmente mamá haya entendido que la "nena" tiene la edad suficiente para decidir con quién quiere salir, con quién hacer el amor y, lo que parece ser más importante, tal vez por lo visible, la hora en que debe regresar al hogar.

Las presiones que puede ejercer una madre sobre una pobrecilla MUSO llegan al límite de la paranoia. Es que la nena soltera da más vergüenza que la pediculosis. ¿Cómo compadrear ante las vecinas? ¿Qué explicación dar ante tías y cuñadas ponzoñosas?

Simultáneamente mamá adquirirá una terrible aversión a las amigas de la nena. Les perdonará que fumen, que digan palabrotas, que armen salidas o vacaciones en conjunto, pero jamás, jamás les perdonará el ser solteras. Vagamente sospechan que la soltería es contagiosa o que, cuanto más se amontonan más difícil se hace un desenlace feliz. Conseguir un tipo, es difícil, pero ¡una multitud de ellos dispuestos al anillito...! Aun sus mentes con arterioesclerosis sospechan que es imposible. Y como se sabe, éste es el *Gran Objetivo* de cualquier madre de una MUSO, mucho más que el de la misma afectada, porque ésta, mientras espera, de vez en cuando se divierte.

Más allá de esta idea fija, todas las madres de las MUSO poseen por igual manías insalvables: si "la nena sale" la esperarán con la comidita caliente hasta que vuelva, cosa que al paladearla le sienta el inocultable gusto a arsénico culposo. Bien culposo. Si la nena estrena pantalones se encargarán de puntualizar que la ciñen; si faldas, que son muy cortas; si se pinta, que es demasiado y si se tiñe..., un asco.

Como recurso extremo dichas madres padecen de enfermedades múltiples, todas decididamente fatales pero de una supervivencia milagrosa, aunque seguro mueren si "la nena" se les desacata del todo. ¡Preciosas madres estas, que merecen un nostálgico recuerdo a Nerón!

Las que viven solas

El tango imaginó el bulín con los siguientes versos: "*Corrientes 348, segundo piso ascensor, no hay portero ni vecinos, adentro cóctel y amor.*" Dejando de lado la dirección, que tal vez exista, todo lo demás es un reverendo bolazo. Cualquier bulín de una MUSO puede dar fe de que "*sí*" hay porteros, que los vecinos son un infierno, los cócteles están por verse y el amor... llega tarde, mal y poco.

Por el contrario en estos sitios abundan calzones y corpiños desparramados por cualquier parte (para que se sequen más rápido, ¿viste?).

Hay también plantitas chamuyadas (las mujeres, en general, adherimos a la esotérica teoría de que hay que hablar con las plantas, y una MUSO en particular tiene pocas orejas que la escuchen). Un equipo de música reemplaza a la vitrola, un televisor pone la nota de época y de allí en más las características ambientales varían según el temperamento de la MUSO en cuestión. Aunque todos esos bulines comparten el hecho de ser un comité sin ideología definida –salvo que un hombre, o su ausencia, pueda ser entendida como tal– y un vago feminismo que es la tónica reinante (tan vago que desaparece si el timbre pareciera sonar como de "él").

¿Y de qué hablan las MUSO? Valga aclarar aquí que una MUSO es en general una persona de gran información de actualidad. Vaya a saber si porque la ausencia del varón es buena para la cultura (teoría que particularmente me seduce) o porque creen que los hombres las prefieren cultas. He aquí una paradoja sin solución, porque en verdad los hombres nos prefieren tirando a nabo.

Por supuesto que también se habla de pilchas y siliconas, peeling y brushing, chimentos de laburo y chimentos de otras minas. Pero sin duda el gran tema central es el maldito ausente, sujeto tácito, huidizo y traidor: *el varón nuestro de cada día, dánoslo hoy, o mañana, que es lo mismo, pero me alcanzo a lavar el pelo.*

Vaya aquí una curiosidad sobre las MUSO: jamás dan detalles sobre lo que ha dado en llamarse "el sexo explícito". Un incauto podría suponer que no lo ejercen; estoy en condiciones de afirmar que sólo callan.

Las MUSO y la sociedad

Como en cualquier otra profesión u oficio de esta vida, no se aprende a ser una MUSO con estilo sin tener experiencia previa. El derecho de piso para el bulo propio se paga en especies no convencionales.

Veamos la primera: hay que aprender a manejarse como un varón sin dejar de ser mujer. Es decir: hay que ganar el pan, administrar el dinero, arreglar un enchufe y cantarle las cuarenta al portero. Pero al mismo tiempo, controlar si hay un gil a la vista para que sea él quien arregle el enchufe, se agarre a las piñas con el portero y ya que está nos destape la pileta. Estas demostraciones de eficiencia frente a un gil, convertirían al presunto candidato en un seguro prófugo (los hombres desconfían de las mujeres eficientes).

Tal vez porque todo esto es una pesada carga, las MUSO tienden a agruparse en logias. Parten en patota al cine, comparten cafés, se reúnen a tomar sol, se auxilian en las desventuras y se borran en las venturas.

Valga detenerse en el rubro "venturas", porque con la misma

facilidad que se ingresa en esas logias, una puede ser despedida al menor traspié. *Paradójicamente el traspié tiene la forma de un varón.* Cuando una MUSO se enamora pasa a la categoría de infectocontagiosa. Mientras dure el metejón, las otras huirán de ella y ella de las demás.

Una MUSO enamorada quiebra códigos, destroza ritos y se vuelve una inútil total para esa ceremonia de acompañar soledades. Ya no se puede contar con su departamento para caer a tomar café a cualquier hora, se irá al cine sin ella y entre el bienamado y esos lánguidos fines de semana tirada al sol con otras colegas, optará por aquél, así la invite a comer pochoclo en una plaza lluviosa. Por supuesto que a él las MUSO le caen como la mona y es puntualmente correspondido.

Generalmente –desafortunadamente– el traspié dura poco. La MUSO vuelve al redil, sin cuentas ni rencores, a reiniciar el oficio más antiguo que de la mujer se sepa: *la espera, no siempre dulce, del hombre a quien amar.*

26. LOLAS NUEVAS, ¿VIDA NUEVA?

Como casi todas mis historias, ésta comenzó en un café donde una amiga preguntóme mi opinión sobre hacerse o no las lolas nuevas.

La conversación que se suscitó de allí en adelante fue sumamente apreciada por los parroquianos del lugar, algo hartos de discutir sobre política y otras pavadas.

En mi bando (en el que me pareció notar se encolumnaba una vieja cuya oreja se interponía cual biombo entre mi amiga y yo), se manejaron distintos tipos de teorías, todas "anti-estéticas". El orden fue más o menos el siguiente:

A) Feroz miedo a la más mísera inyección; ni hablar sobre la posibilidad de cortes y demás atrocidades.

B) Ideas vagamente darwinianas, según las cuales si el hombre desciende del mono, todo debe descender, incluidas las lolas.

C) Posibilidades de fallas imprevistas en el operativo.

Frente a mis andanadas, mi amiga permaneció inmutable. En primer lugar, porque le encanta operarse. Y después, como me puntualizó, porque para que algo se caiga es necesario que exista. Léase que ella no tenía nada. En boca de una mujer, esto suena a que las demás se han quedado con un poco de lo que les correspondía en la repartija. Sutiles reproches que pueden hacerse sin que medie ofensa alguna. Derrotada en estas argumentaciones, el diálogo pasó al verdadero quid de la cuestión.

Dos lolas no son nada

—*Recordemos* —le dije, y todo el bar paró la oreja en un deleite anticipado—: *¿Alguna vez nos ha pasado algo que haya tenido que ver con el tema?*

121

Revolvimos el café mientras hacíamos memoria y los parroquianos se acomodaban mejor en sus mesas.

–*Mmmm* –rumió mi amiga–. *Nunca me piropearon por ese lado.*

–*¡Qué pícara!* –repliqué–. *¿Y la de piropos que no nos dijeron por no tener ojos verdes? Hablemos en serio: ¿alguna vez alguien te amó o te dejó de amar por ser "sintética"?*

Mi amiga sorbió pensativamente la cucharita y repitió: *"¡mmm!"*, lo que debía tomarse por un *"no"*. La vieja que me hacía pata dio un suspiro de alivio. Aunque no podía junarla bien, supuse que ella también era "tabloid".

Un poco más segura, me aferré a mis pancartas naturistas.

–*¿Acaso alguien te dio un portazo gritando "¡no aguanto a una mina sin lolas!"?*

–*¡No!* –contestó decididamente, para alborozo de todo el bar.

–*¿Entonces, ¿por qué no te dejás de escorchar con la operación?*

Por toda respuesta mi amiga esgrimió:

–*Claro, vos porque tenés marido.*

Traducido al básico ilógico de una mentalidad femenina quiere decir: *"El gil ya está acostumbrado."* Tampoco hay ofensa.

Como sobreviviente de nuestra púdica aldea, ya he aprendido que la única manera de que algo no se sepa es "no hacerlo". Así que cuando a los quince días me contaron que mi amiga guardaba cama por una gripe muy fuerte, una más fuerte premonición me llevó corriendo hasta su casa. Desde la puerta le grité: *"¡Te la hiciste!".* Y así era. Envuelta en mañanitas, mi amiga se paseaba entre un enjambre de mujeres que habían caído a visitarla y desearle *"felices lolas nuevas"* (repito, en la aldea no hay secretos).

Pese a que en los considerandos previos me había contado que la nueva cirugía consistía sólo en "dos tajitos", a mí me pareció que los trapos que la cubrían ocultaban más puntos que la momia de Ramsés II. Todo calculado a ojito, pues según la dueña "todavía no se podían ver".

"¡Contá como son!" –gritó la hinchada, y el perro salió ladrando al patio por la impresión. Mientras tanto sus amigas, deudos y vecinos habían copado todo el living-comedor, ensuciado mil tacitas de café y arrasado con las múltiples criollitas que toda soltera guarda por las dudas.

Finalmente, la feliz poseedora accedió a las explicaciones.

–*Son... ¡qué sé yo, como dos naranjas...!*

Las espectadoras nos dividimos en dos bandos. Las modosas acordaron con el tamaño y las desaforadas –me incluyo– pusimos el grito en el cielo. ¿Así de chicas? ¿Para esto tanto drama? Por lo menos hubiera elegido un tamaño Sarli o Casán. La acusada trató de hacerme comprender que todo debe ser proporcional. ¡Ma qué proporcional! Si me las hago yo, las encargo con carretilla incluida y hasta con un injerto de plumas en la cola.

Las moderadas procuraron restablecer la calma explicando que la susodicha no podía caer de la noche a la mañana a su estudio con unas lolas que ocuparan todos los pasillos de los Tribunales.

—*Igual da*—insistí yo—. *Que cuelgue el título y se vaya al breca; las abogadas teutónicas despiertan desconfianza.*

El debate se prolongó hasta que terminamos con la última galletita, sorbimos el último café y agotamos los comentarios. Nuestra amiga, entonces, nos sacó zumbando para meterse en cama con un calmante.

Alcancé a oírle que efectivamente dolía, mientras me cerraba la puerta sobre el dedo gordo.

Tercer acto mamario

La primera parte del tercer acto se inició con un desfile privado de las dos lolas relucientes, frente a una platea rigurosamente femenina.

Se suponía que toda la cuestión era un secreto de mujeres, aunque sospecho que más de uno se recibió un cachetazo por su afán de colarse en esa mostración "científica".

Otra vez nos acomodamos, otra vez le comimos todas las galletitas, le tomamos todo el café y los mates. Pero al fin vimos la maravilla de las siliconas. Debo reconocer en honor de la medicina moderna que, lejos de mis cruentas fantasías, eran una verdadera hermosura. Cual si fuera para foto de prontuario, la hicimos posar de frente, de perfil y hasta de nuca. Con toda educación pedimos permiso para hundirle un dedo. Me llevé otra sorpresa. Siempre había creído que una lola con siliconas gritaba "¡mamá!" o ladraba. No señor, se parecía a la de cualquiera pero... mejor.

En cuanto al tamaño, los bandos siguieron irreconciliables. Pero ¿quién se pone a discutir seriamente el talle del corpiño de la Venus de Milo?

La segunda parte de este acto termina donde comenzó, pero varios meses después. La vida de mi amiga no ha cambiado gran cosa, pero en cambio había sufrido un vuelco fundamental en algunos detalles que resumió así:

A) *Tuvo que cambiar todos sus corpiños.*
B) *Tuvo que cambiar todas sus mallas.*
C) *Tuvo que cambiar todas sus camisas.*
D) *Tuvo que cambiar todos sus ex enamorados.*

En fin, que ahora sí, le dicen piropos en la calle y tal vez el próximo sea por fin el gran amor. Mientras tanto y aunque me la regalen, me resistiré a una estética, con la vaga esperanza de que mi amado siga creyendo, como Saint-Exúpery, que "lo esencial es medio flojón al tacto".

Final: ¿quién nos enseña a envejecer?

A riesgo de consagrarme como el plomo del año, no puedo resistir la tentación de concluir con una moraleja. Mala mezcla es, señores, la del mito de la eterna juventud con el eterno consumo. La juventud y la belleza son un bien en sí mismas. Pero cuando se venden como único bien posible, se desata una carrera cuya meta es tenebrosa. No sé cómo la sufren los varones pero sé cómo lo pagamos las mujeres. Teñidos, gimnasia, cremas como para aceitar los ejes de mil carretas; y por si fuera poco, ahora la cirugía. Nos aspiran las grasas, nos borran las arrugas, nos hacen lolas nuevas, nos recrean o nos mantienen, siempre en pos del mito.

Sin embargo, aunque parezca que sangro por el hachazo de ser fulera, digo que toda mujer aprende, alguna vez, que la belleza del otro no nos consuela a la hora de la solidaridad, ni nos comprende en el instante de la inteligencia, ni nos responde en el momento de la ternura, ni se hace cómplice a la hora de la risa. Con solo ejercitar un poco la mirada, quizá descubramos más belleza en una cara aindiada, ingenuota, tosca y noble, que en cualquier modelito con ojos de chicle, sonrisa de "no me arrugo" y por supuesto las más esplendorosas siliconas. *No obstante, junto con el Ford Sierra y las tarjetas de crédito, se nos vende el mito de la juventud eterna y la inmarcesible belleza.* En pos de ellas corremos o soñamos, sabiendo —o no— que en realidad no habremos de alcanzarlas nunca.

27. CUANDO LAS MUJERES QUIEREN HUIR

Mala combinación es primavera y mujeres. Cada ventana indica que los caminos son anchos, verdes y ajenos. Demasiado verdes y demasiado ajenos. Nuestros son sólo los días grises de entrecasa, las medias grises que lavar, y los grises grises ánimos que la familia ha decidido que tenemos que aguantar. Es allí cuando surge, pacífica e irrealizable, la fantasía del raje.

Hay gente que hace balances existenciales en Año Nuevo. *Y arruina el Año Nuevo*. Otros lo hacen para el cumpleaños. *Y arruinan el cumpleaños...*

Otra gente quizá más ligada a la Pacha Mama, elige para esos menesteres las primaveras... Y ya sabemos qué se puede esperar de un balance de vida: los números jamás cierran, el promedio no da, o "no hemos alcanzado los objetivos". Triste metáfora para indicar que todos nos llevamos la vida a marzo, sin cursillo de recuperación posible.

Curiosamente, la sensación no tiene nada que ver con nuestra situación biográfica. En lo que a mí respecta, esa sensación era tan fuerte cuando tenía veintiséis años (y el Titanic, frente a mi historia, me parecía un jolgorio), como a esta edad, donde ya "tengo" una pareja entretejida por la pasión y una profesión que adoro. De guita no hablemos... Escribe una argentina tipo.

Con la mitad de todo eso, en julio uno agradecería al Señor. Pero, ¡cuídame Adonay de los fastos de setiembre! Debe ser la clorofila, que me vuelve daltónica a los bienes o infernalmente criticona. Pero en el dichoso balance, todas mis pertenencias se cubren con un signo de trabajo infernal, de estar en una jaula amorosamente urdida y de un deseo irrefrenable y fatalmente refrenado: *huida*.

Así que mientras lavo los platos me baño o me silencio, planeo insólitos escapes.

Me voy con los gitanos

De pronto, una mañana me ato un pañuelo en la cabeza, me pongo una falda hasta los pies y *me uno a la primera tribu que pasa.*

Junto a ellos me lanzo a recorrer el mundo adivinando la suerte en cada esquina. Acompaña la escena algún poema de Lorca donde yo gustosamente me voy al río haciéndome la mozuela. Eso sí, con un gitanazo de ojos verdes (parte erótica de la fantasía que pueden ustedes suprimir. Aun sin río y sin gitano me iría igual).

Apago el pucho de mis sueños y pienso en el modo de hacer posible mi gitaneada... *Pobre de mí.* En nuestra aldea hay gitanos, pero ni van ni vienen. Simplemente están. Como yo. Llegados en un tiempo que sólo los historiadores recuerdan, las dos tribus que viven en Córdoba son tan inamovibles e institucionales como la Legislatura; y sin duda, más estables. Una de ellas vive en casas y las otra no ha levantado sus carpas desde al mismo día en que las plantó. Las gitanas leen la suerte a desgano, hacen compras en el súper y en general tienen un aspecto entre aburrido y cansado.

Mientras ellas me adivinan la suerte yo adivino la de ellas... ¡Ay, muchachas de coloridas polleras...! Veo un gitano que no te lleva al río ni para Pascuas, y una caterva de críos que te dan un laburo de novela... Ni vuestro acento exótico me engaña... También tenéis unas ganas de rajaros que ni con todo Lorca se mitiga. Además creo que no tienen bidet. Así que, *¡gitana, nunca!*

Mejor pensemos otra.

Me hago actriz

Soy platinada y exuberante..., pero frágil. Carnívoramente sexy... e indefensa. Onda *Marilyn,* ¿la pescan? *Truman Capote* me entrevista y le inspiro una de sus páginas más bellas (reemplazar *Capote* por *Martini, Capote* se murió).

Varios continentes se enamoran de mí, incluido algún presidente y un deportista famoso. Bebo champagne de la mañana a la noche. Declaro que las dos cosas que más me gustan en esta vida son: *"un whisky antes y un cigarrillo después".* Hasta Cardenal, que es cura, me dedica un poema... Pero claro, para todo eso hay que morirse, y además tener teléfono blanco, para más datos.

Marilyn, mejor no... Pensemos en abstracto. He huido, y soy tan genial como actriz que me cortan una pata y el público del mundo me aplaude cuando —sin pata— interpreto los clásicos del teatro universal.

¡Zas, caí en *Sarah Bernhardt...!* Pensándolo bien no quiero que me corten una pierna; y además ahora te la ponen de plástico...

En fin, quiero ser una actriz sin suicidio y sin ortopedias. Llegan a mi camarín collares de zafiros. *Mi perra platinada también desayuna con champagne.* Después, para finalizar mi carrera con dignidad, me hago ecologista y defiendo a los indios; o indigenista, y defiendo los yuyos.

Da lo mismo. Pero, ¿no estoy en la línea *Jane Fonda*?

Paremos, que a mí los indios me importan un yuyo. Apago una vez más el pucho. Aterrizo y miro mi aldea... No veo actrices con teléfonos blancos, ni champagne, ni zafiros... Todas parecen atareadas y pobres. Cierto es que las nimba un sueño, más que a las gitanas... pero no dan como para huir con ellas... Y Córdoba es tan chica que hacerse actriz es como mudarse a la vuelta de casa. Vamos a otra.

Me voy, no más

Así de simple.

Digo: *"ya vengo"*, como si fuera al almacén, y me paro en una ruta a hacer dedo. Llevo un par de zapatillas, un vaquero, el cepillo de dientes, el desodorante y ropa interior. Recorro toda Latinoamérica y termino en el norte de Alaska comiendo pescado crudo entre los esquimales. En un atajo del camino me cruzo con *Simone de Beauvoire* que, según leí en sus memorias, gustaba de viajar con *Sartre* en bicicleta.

A un costado de la banquina, a la sombra de unos fresnos, tomamos vino blanco y conversamos amablemente. *Sartre* no está. Es una suerte, porque los hombres son muy interrumpidores de las charlas de las mujeres. Pero, *¿en qué idioma hablamos si yo no sé una papa de francés?* ¿Cómo encontrarla en Latinoamérica si ella paseaba por el sur de Francia? ¿Cómo será la "sombra de los fresnos"?... En mi vida vi uno. ¿Y si resultan petisos y nos ardemos al sol y nos pican las hormigas?

Simone queda a la vera del camino pero en un carrusel aparece *Colette,* como en las épocas en que hacía café concert, bailaba medio desnuda y gozaba de la peor reputación de París y sus alrededores. Me encanta la gente de mala reputación, así que mientras espero el próximo camión, que ha de llevarme a Alaska, *Colette* me habla de sus últimos amores. La narración insume algunos meses (ya hemos dicho que era dama de mala conducta). Hacia el final me aclara lo que tantas veces he leído, que ella ama los bistró de París y que no entiende qué carajos está haciendo en un polvoriento camino latinoamericano, cuando toda la *belle epoque* la está aguardando...

Desaparece *Colette* y me encuentro en Bolivia, sin desodorante.

Bolivia no es un buen lugar para ese tipo de carencias. Los camioneros no paran. Imagino una muerte boliviana y me da un ataque de depresión. No es justo morir de un modo tan subdesarrollado. Me parece que ya me estoy volviendo para casa...

Casa de muñecas

Y puedo seguir enumerando fantasías de huida primaverales, pues tengo una para cada ocasión.

Las hay de corte heroico..., pero son las que menos duran. En cuanto siento llegar a los carabineros en Chile o silbar una bala de los contras en Nicaragua, vuelvo corajudamente a refugiarme en mi patria democrática. Frecuentemente me enrolo en un circo hasta que descubro *que me toca actuar de mujer barbuda.*

Como verán, mis fantasías siempre parten de un mismo lugar y fatalmente a él regresan. Se encienden con los primeros brotes de la primavera y se apagan con el primer sol del verano. El impulso parecería ser idéntico: hay que huir de esta casa de muñecas, pero ya no hay muñecas y la casa es la vida.

Para mí que todo esto tiene que ver con las hormonas; y según *Buñuel,* cuando las hormonas se terminan aún queda por gozar lo mejor de la vida. Dado que no puedo escapar estoy tentada de creerle, pero, ¿qué clase de placer habrá sin hormonas, sin primaveras insidiosas, y sin gitanos morrudos?...

Será cuestión de esperar lo que los inviernos nos deparen. Mientras tanto gozaré en silencio de este metafísico acné.

Pero eso sí, estaré siempre a tiempo para servir la sopa.

ÍNDICE

Se terminó de imprimir
en el mes de Junio de 1992
en Imprenta Rosgal S.A.
Urquiza 3090 Tel. 47 25 07
Montevideo - Uruguay
Dep. Legal 251626/92

Distribuidores en Capital Federal:
DISTRIMACHI S.A.
Av. Independencia 2744 Capital Federal
SADYE S.A.C.I.F.
Belgrano 355, Capital Federal.